Il faut sauver Sara

Marie Joly

Il faut sauver Sara

UNE ÉDITION DU CLUB QUÉBEC LOISIRS INC.

Dépôt légal — Bibliothèque nationale du Québec, 2000
ISBN 2-89430-421-8
(publié précédemment sous ISBN 2-89111-867-7)

Imprimé au Canada

« Sara » et sa famille expriment leur reconnaissance à :
Mme Aline C.,
Me Suzanne P., Mme Carolyn N.,
Mme C. de G., Détective Mel R.,
Dr Stephen K., Détective Patrick K.,
M. Jo S., Dr Paul M. et son équipe.

Ce livre est dédié
à toutes les « Sara » du monde
et à leur maman.

La plume est plus puissante que l'épée.

Je revois encore la mère qui me confiait, avec des «S» chuintants comme des serpents : «*It's a simple story.* Sara ma fille avait vingt-trois ans, elle était la joie de vivre. Un soir, lorsque je suis rentrée à la maison, elle avait disparu. Cela se passait dans les premiers jours de novembre. Je ne comprenais pas. Je n'ai pas compris.»

Je l'ai écoutée et accompagnée tout au long de ce récit alors qu'elle pénétrait avec difficulté dans un monde effroyable. Un monde que nous côtoyons et que nous ne connaissons pas ou que nous ne reconnaissons pas, faute d'information, parce que les gens qui ont vécu l'expérience de Sara ne sont pas capables d'en parler. Un domaine où les soi-disant experts sont pour la plupart des fumistes, un domaine où l'on ne sait jamais si la personne à laquelle on s'adresse va vous aider ou vous trahir.

Ceci est l'histoire de Sara et de sa mère qui s'est trouvée confrontée à l'inexpliqué et qui n'a jamais baissé les bras lorsque certains avocats, policiers, psychologues ou conseillers lui disaient : «Laissez tomber.»

C'est une histoire où le rocambolesque côtoie l'horreur, où la cruauté rivalise avec la générosité de personnes rencontrées au détour du chemin. C'est aussi une histoire d'amour et d'espérance.

Les noms des personnes et des lieux ainsi que certains faits ont été modifiés afin de respecter l'anonymat des protagonistes. Toute ressemblance avec d'autres êtres ne peut être que fortuite.

Une histoire simple

C'est une histoire toute simple qui a commencé dans les premiers jours de novembre.

Un soir, lorsque je suis rentrée à la maison, ma fille avait disparu.

Ce n'était plus un bébé : elle avait vingt-trois ans!

Ce matin-là, elle était partie comme d'habitude à l'université, mais elle n'est pas revenue.

Où était-elle? Que lui était-il arrivé? Pourquoi avait-elle quitté la maison sans prévenir personne?

Elle semblait très heureuse. Je ne comprenais pas.

Et moi, sa mère, j'étais incapable de répondre à ces questions.

La police m'a demandé des détails.

Oui, je l'avais vue pour la dernière fois le lundi matin vers huit heures. Elle partait pour l'université. Elle portait un jean, un anorak mauve, des baskets. Elle avait un sac à dos bien rempli, comme d'habitude.

Non, je n'avais rien remarqué de particulier. C'était un matin tout à fait normal.

Je l'ai embrassée sur le pas de la porte.

«Au revoir ma chérie. Fais bien attention à toi. Je t'aime.

– Bye, Maman. À ce soir.»

Il faisait frisquet dehors. L'automne était déjà là.

Ce soir-là, j'étais invitée chez des amis. Sara n'était pas encore rentrée quand j'ai quitté la maison. Il faisait déjà nuit dehors. J'ai laissé les lumières allumées dans le salon et dans sa chambre. J'ai mis un petit mot sur la porte du réfrigérateur :

«Sara chérie,
J'espère que ta journée s'est bien passée.
Ton souper est prêt. Il est au four.
Je rentrerai tard. Ne m'attends pas.
À demain. Bonne nuit.
Je t'embrasse.
Maman.»

Il était plus de minuit lorsque je suis rentrée. La rue était plongée dans la noirceur mais ma maison brillait comme un phare.

«Sara a oublié d'éteindre! Qu'est-ce qu'elle fait debout à cette heure-là? Elle s'est encore endormie sur ses livres! Ou alors elle regarde un film... Elle va être épuisée demain!»

J'ouvre la porte doucement. Un coup d'œil dans le salon. Elle n'y est pas. Je monte sans faire de bruit. J'entrouvre la porte de la chambre. Son lit n'est pas défait. Elle n'est pas là!

Où est-elle?

J'ai la gorge serrée. Sara a vingt-trois ans, certes, mais elle est diabétique. Je suis inquiète. A-t-elle eu un malaise? A-t-elle eu un accident? Elle est peut-être à l'hôpital... Si elle a eu un problème et qu'elle était capable d'appeler, elle m'a sûrement laissé un message : elle sait que je vais m'inquiéter.

Je dévale l'escalier et me précipite sur le téléphone. Le voyant rouge du répondeur clignote. J'ai des messages.

C'est sa voix. Ouf! Elle est en vie!

«Maman, je t'appelle pour te dire que je t'aime et que je suis mariée...»

Un silence. Un moment d'hésitation et elle reprend :

«Je vais me marier. C'est la volonté de Dieu. Je t'aime.»

Quoi?

C'est elle, mais sa voix est bizarre.

Elle a l'air soûle. Pourtant, elle ne boit pas.

La drogue? À ma connaissance, elle ne s'est jamais droguée. En riant, elle disait :

«Mon insuline me suffit! Je ne veux pas d'autres piqûres!»

Mariée? Qu'est-ce que c'est que cette histoire! Une blague? Mariée avec qui? Elle n'a jamais parlé de rien ni de personne en particulier! S'agirait-il de quelqu'un qu'elle aurait rencontré lorsqu'elle était au loin, l'an dernier, à l'Université d'Otterton? Et elle ne nous aurait rien dit? Cela me paraît bien improbable.

Il y a quelque chose qui ne va pas. Ce message est bizarre. C'est sa voix, mais ça ne lui ressemble pas.

J'essaye de repérer l'origine de l'appel. Impossible.

Je repasse le message plusieurs fois. Ce n'est pas une farce, j'en suis convaincue. C'est grave.

«C'est grave! C'est grave!»

Je me rends soudain compte que je répète ces mots à haute voix. Je fais connaissance avec la peur. Il ne faut pas que je panique! Il faut que je réfléchisse!

Il est plus de minuit. Qu'est-ce que je peux faire à cette heure-là? La police? Elle a vingt-trois ans. Ils vont me dire qu'elle découche! Que c'est normal!

J'essaye de comprendre pourquoi ma fille est partie sans prévenir. Cela ne lui ressemble pas. Ce n'est pas une tête brûlée. Elle est sensible, intelligente et à l'écoute des sentiments des autres. Bien que vivant encore à la maison, Sara est une jeune femme qui a une vie personnelle. Elle semblait heureuse, équilibrée, épanouie. Même si elle n'appréciait pas tous les professeurs, elle aimait son programme à l'université. Elle s'était fait de nouveaux amis. Elle parlait de son avenir avec sérénité. Il n'avait jamais été question d'un mariage à l'horizon. Je ne comprends pas.

La meilleure chose que j'ai à faire, c'est d'aller me coucher. On verra demain. Je vais la voir arriver avec un large sourire et l'œil coquin :

«Maman ! Pourquoi tu t'es inquiétée ? Tu me connais, quand même ! »

Mardi matin. La maison est plongée dans le silence. Pas d'odeur de petit déjeuner, pas de bruit de vaisselle.

Sara n'est pas revenue.

J'appelle l'université. Peut-être n'a-t-elle pas eu le temps de repasser à la maison avant ses cours.

«Madame ! Nous ne relevons pas les absences. »

Évidemment, je le sais, mais je suis inquiète.

J'appelle quelques amis chez qui elle aurait pu passer la nuit. Non, ils ne l'ont pas vue.

Je dois faire face à la réalité : elle est partie. Elle a disparu.

Où ? Comment ? Avec qui ?

Je monte dans sa chambre à la recherche d'indices. Je me rappelle son sac à dos très chargé. Qu'est-ce qu'elle a emporté ? Je ne trouve pas le pantalon en velours prune et le chandail assorti que sa sœur venait de lui envoyer pour sa fête.

Cela ne me plaît pas beaucoup d'avoir à fouiller dans ses affaires, surtout lorsque j'imagine le coup d'œil noir de reproche qu'elle va me jeter lorsqu'elle s'en apercevra.

L'odeur de son parfum à la vanille flotte dans la pièce. J'ai mal.

Dans la salle de bains, son verre à dents est vide.

Bon. C'était organisé. Ce qui veut dire qu'elle n'a pas été kidnappée.

Je ris nerveusement en imaginant ma fille qui a pensé à emporter sa brosse à dents mais n'a pas eu la décence de me laisser un mot.

Je veux en savoir plus. Si une personne est au courant, c'est sa sœur jumelle Anne. J'hésite cependant à l'appeler, parce qu'elle vit au loin dans les Maritimes et parce que je ne veux pas lui donner d'émotions inutiles, car elle attend un bébé. Je vais attendre quelques jours. Je veux laisser à Sara un peu de temps. Si elle a fait une bêtise, elle va vite s'en rendre compte. Elle n'aimerait pas que sa sœur l'apprenne de ma bouche : elle sera bien trop honteuse. Il sera toujours temps de déclencher les gros affolements si je n'ai pas de nouvelles d'elle d'ici quelques jours.

Je tiens deux jours et j'appelle Anne. Au ton de sa voix, je saisis qu'elle est plus contrariée que surprise.

– Oh ! Maman ! Ce n'est pas vrai ! Quelle idiote ! Elle fait confiance à n'importe qui ! Est-elle encore amoureuse ? Quand a-t-elle quitté la maison ? As-tu vérifié si elle avait emporté son insuline ?

– Ma chérie, je t'appelle parce que je ne comprends rien à la situation et j'espérais que tu serais au courant de quelque chose. As-tu une idée de l'endroit où elle pourrait être ? Est-ce qu'elle t'a parlé d'un ami en particulier ? Sais-tu son nom ? Sais-tu où il habite ?

– Tu la connais, Maman !

– Non, je suis très surprise qu'elle soit partie sans avertir. S'est-elle confiée à toi ?

– Non, pas cette fois-ci. Je n'en ai pas la moindre idée.

– Ô ! Anne ! Je t'en prie, réfléchis, s'il te plaît, réfléchis ! Lorsqu'elle est allée en vacances chez toi cet été, t'a-t-elle parlé d'un ami ou d'amis au pluriel ? Faisait-elle des projets particuliers ? Voulait-elle quitter la maison ?

– Non, Maman, rien de bien précis. Elle m'a surtout parlé de sa vie à l'université et un peu des gens qu'elle y avait connus. Il me semble qu'elle a aussi parlé d'une fraternité ou d'un groupe. Tu sais, ce n'est pas parce que tu rencontres quelqu'un que tu le suis. Elle a vingt-trois ans, quand même ! D'accord, elle s'emballait vite, mais ce n'est pas parce qu'elle a toujours eu plein d'idées qu'elle va disparaître comme ça ! C'est ridicule ! Tu te rappelles quand elle était petite ? Elle voulait sauver tous les animaux de la terre. A-t-elle disparu à chaque fois qu'elle rencontrait un chien errant ?

Anne rit au bout du fil.

– Anne, s'il te plaît ! Je suis très inquiète !

– Maman, arrête ! Tu t'inquiètes toujours ! Je n'en sais rien, moi ! Je crois plutôt qu'elle en avait assez de ses études et qu'elle a décidé de prendre quelques jours de congé. Ou alors, elle est en train de vivre le grand amour et a filé avec lui, mais cela m'étonnerait.

– Où l'aurait-elle connu ?

Anne rit.

– Je ne suis pas derrière elle, Maman ! Peut-être à l'université l'an dernier ? En tout cas, ce n'est sûrement pas quelqu'un qu'elle a connu en vacances ici. Je l'aurais su.

– Bon. Si ce n'est pas quelqu'un, ça peut être un groupe d'amis. Qu'est-ce que tu sais à ce sujet ?

– Rien de particulier. Elle a fait partie de différents groupes l'an dernier, comme je te le disais. Ils avaient l'air bien ordinaire : le genre qui traîne sur les campus. Pas des cinglés !

– Penses-tu qu'elle pourrait les avoir rejoints ?

– Maman ! Elle a vingt-trois ans ! Ce n'est plus un bébé !

– Oui, mais elle fait vite confiance aux gens.

– Ça, c'est bien vrai ! Surtout s'il y a de beaux garçons dans le lot.

– Anne, s'il te plaît ! Je suis vraiment très inquiète.

J'avoue alors à Anne que j'ai fouillé dans les affaires personnelles de Sara.

– Tu as fait ça ! me répond Anne, outrée. Alors, c'est que tu es vraiment très inquiète. Tu crois qu'il lui est arrivé quelque chose ?

– J'espère bien que non. Elle a emporté un pantalon, un chandail et sa brosse à dents.

– Ce n'est pas beaucoup. Elle va sans doute revenir.

Anne réfléchit au bout du fil. Elle hésite.

– As-tu bien regardé partout ? Est-ce que tu as été voir sur la dernière planche de son placard, tout en haut dans le fond ?

– Non.

– Autrefois, c'est là où on cachait les affaires qu'on ne voulait pas que tu voies.

– Je te remercie, ma chérie. J'y vais. Je te rappelle.

Ah ! les secrets entre sœurs !

Anne avait raison. Bien caché dans le fond, je trouve une boîte à chaussures dans laquelle il y a le carnet d'adresses de Sara, sa Bible avec une inscription sur la première page *« Love from T »* et une pile de lettres et de cartes. Je fais un tri rapide, laissant de côté les nombreuses lettres de sa sœur et la collection de cartes de fêtes et de la Saint-Valentin dont certaines remontent aux calendes grecques. Je m'attarde aux lettres inconnues ; la plupart ne sont pas datées. Je les parcours, Certaines me paraissent bien innocentes, d'autres sont farfelues. Ces dernières sont signées par une Tricia, un Paul, un John et «T». Ces noms ne me disent rien.

«Ma chère sœur en Jésus-Christ,

Je te salue au nom du Christ, Berger du troupeau, Pasteur des brebis et Maître de l'Alliance Sacrée... Sara, souviens-toi que Jésus n'est pas mort sur la croix, souviens-toi de Jésus ressuscité, il est monté aux cieux. Jésus est avec toi... Il ne te lâchera pas, Il ne t'abandonnera pas. Il attend son ange dans le ciel, Sara. Heureux les cœurs purs : ils verront Dieu.»

Je parcours une autre lettre où les mots «prions» et «remercions» sont répétés une trentaine de fois en leitmotiv.

«Prions le Seigneur. Remercions le Seigneur. Nous t'aimons, ma sœur. Prions le Seigneur. Remercions-le. Prions le Seigneur. Remercions-le de prendre soin de Sara. Nous t'aimons, ma sœur. Remercions-le de son amour. Nous t'aimons, ma sœur. Prions le Seigneur. Remercions-le de lutter contre le démon. Prions le Seigneur et remercions-le d'avoir montré la lumière à la mère de Sara. *Qu'ai-je à voir là-dedans?* Prions le Seigneur et remercions-le d'avoir sacrifié une de ses filles pour Sa gloire. Nous t'aimons, ma sœur.

Je remercie le Seigneur d'avoir rencontré celle qui viendra à sa rencontre comme épouse... Je vous remercie, Seigneur, d'avoir insufflé la force de l'Esprit-Saint à ma sœur en Jésus-Christ. Nous t'aimons, ma sœur.»

On dirait un cantique ou des psaumes.

Je parcours une autre lettre :

«Ma sœur, fais confiance à Jésus. Il est au-dessus des eaux stagnantes. Si je meurs avec lui, avec lui, je vivrai. Oui, lorsque je marcherai dans l'ombre de la vallée de la mort, je ne craindrai pas Satan car le Seigneur est à mes côtés. Ma sœur, cela veut dire que nous ne mourrons pas, mais que nous serons à l'ombre du Seigneur... Et le bâton du berger et son commandement, c'est l'Esprit-Saint que tu trouves en toi, Sara, l'épouse du Christ.

Il n'y a rien à craindre, ma sœur, de l'épreuve qui t'est assignée ou des étranges choses qui t'arrivent, car c'est Dieu qui éprouve ta foi et tu dois te réjouir de souffrir pour lui comme Il a souffert pour nous.

Rappelle-toi ce qu'a dit Matthieu : "Heureux êtes-vous lorsque l'on vous insulte, que l'on vous persécute et que l'on dit faussement contre vous toute sorte de mal à cause de moi. Soyez dans la joie et l'allégresse car votre récompense est grande dans les cieux. C'est ainsi en effet qu'on a persécuté les prophètes qui vous ont précédés."

Nous devons obéir à Dieu. Lorsque, parmi les ténèbres, Dieu t'a choisie pour te montrer la lumière, il savait ce qu'Il faisait. Tu souffres parce que tu as péché. "La porte qui mène au ciel est étroite, large est la porte et spacieux le chemin qui mène à la perdition." Celui qui veut suivre la parole de Dieu doit se renier lui-même et porter sa croix. "Qui veut sauvegarder sa vie la perdra." Dieu a donné son sang pour toi. Le temps est venu que tu meures pour Lui. Dieu ne commet pas d'erreur... Soumets-toi à la volonté de Dieu.»

Les lettres se terminent toutes par cette formule : «Ton frère (ou ta sœur) en Jésus-Christ.»

Je n'aime pas ces allusions à la mort. Que signifie «l'épouse de Dieu»? Est-ce pour inciter Sara à se retirer du monde et à entrer en religion? Le type qui a écrit ça doit avoir l'esprit plutôt torturé.

Je lis les lettres signées par T. Elles sont de la même facture, mais le ton est intime et plus affectueux.

«Hello, c'est encore moi! J'ai bien reçu ta lettre, mais mince, que la poste est lente! Alors, quoi de neuf, ma chérie? Comme je te l'ai dit, j'ai entendu que Dieu me soufflait à l'oreille que tu n'étais pas encore sauvée, mais je peux t'assurer qu'avec moi tu es sauve puisque je suis le serviteur de Dieu... L'Esprit a ses propres voies pour chacun... Parler en langues est le signe de notre salut... Me faire défaut, c'est faire défaut au Seigneur puisque je le représente sur terre... Jésus a dit : "Confesse tes péchés et tu seras guérie..." Dieu m'a dit que tu allais venir me voir... L'imposition des mains sur les malades fait partie de mon ministère... Je compte te revoir bientôt, ma chérie...»

Une autre lettre :

«J'ai été débordé par les devoirs de mon ministère : j'ai dû repeindre les chaises (sic). Ta présence et ta générosité me manquent beaucoup... Tu es une prophétesse, ma chérie... Rappelle-toi la parole du Seigneur à l'université lorsque tu as été baptisée dans l'Esprit-Saint et le feu; tu es née à nouveau, ce jour-là. Rappelle-toi aussi ce que le Seigneur a dit : "Croyez et vous serez guéris." Jésus a dit d'imposer les mains sur les malades. Ceci fait partie de mon ministère. Dieu m'a confirmé que guérir faisait partie de mon apostolat. Tu es dans mes prières. Repens-toi et tu seras guérie de ton diabète. "Ce n'est pas de pain que l'homme vit, mais de la parole de Dieu." Tu dois être croyante, ma chérie.

Ta mère et ta sœur ont-elles trouvé le salut? Je t'aime et j'espère te voir bientôt. Nous sommes nombreux – ainsi que Léo, Ange et sa femme – à regretter ton absence.»

Une autre lettre se termine ainsi :

«Je remercie le Seigneur d'avoir montré la voie à ma sœur. La loi et les prophètes disent : "Tout ce que vous voulez que les hommes fassent pour vous, faites-le vous-même pour eux." Ne crains rien. Fais confiance à la parole du Christ. "Voilà pourquoi Je vous dis : Ne vous inquiétez pas pour votre vie de ce que vous mangerez. Ni pour votre corps de quoi vous le vêtirez. La vie n'est-elle pas plus que la nourriture, et le corps plus que le vêtement? Et qui d'entre vous peut, par son inquiétude, prolonger tant soit peu son existence?"

Dieu est omniprésent et peut tout. "Rien n'est voilé qui ne sera dévoilé, rien n'est secret qui ne sera connu." Pour la grâce de votre fille, nous vous demandons, Jésus, que les vaisseaux de Sara, ma sœur, fabriquent de l'insuline.

Unis dans l'amour de Jésus-Christ Notre-Seigneur, dont l'apparition est imminente. Tes frères.»

Tout cela m'apparaît comme un mélange confus de citations de la Bible et de commentaires sous forme de répons. Je ne suis pas une spécialiste en théologie, mais je trouve que l'interprétation des Écritures est assez particulière. C'est comme si chaque phrase était sortie de son contexte et déformée. À mes yeux, tout ce charabia a une odeur de soufre.

Un post-scriptum a été ajouté :

«Ma sœur, je ne veux pas être indiscret, mais si tu as besoin d'argent (parce que tu es coincée quelque part ou pour n'importe quelle autre raison), prie et Jésus va mettre directement de l'argent dans ton compte en banque.»

J'éclate de rire. Je n'avais pas pensé à cette solution pour payer mes dettes. Mais je ris jaune. Comment quelqu'un d'intelligent et de rationnel peut-il croire à tout cela sans se poser de questions? Je pense à ma fille. Je suis sûre que Sara est capable de faire la différence entre le grain et l'ivraie.

Pour terminer, je feuillette la Bible que j'ai trouvée dans son placard. Les pages sont remplies d'annotations manuscrites dans la marge. Ce n'est pas l'écriture de Sara. Est-ce sa Bible?

Je rappelle Anne et lui fais part de mes découvertes, mais je ne lui donne que la teneur des lettres, sans les détails.

– Est-ce que ces prénoms te disent quelque chose?
– Non, Maman, ça ne me dit rien.
– Que sais-tu des groupes dont tu me parlais?
– Sara en parlait comme des groupes religieux.
– Ils sont corrects?
– Comment veux-tu que je sache? On trouve de tout sur le campus. Certains groupes sont orthodoxes, d'autres sont bizarres.
– Est-ce que tu veux dire des cultes, des SECTES?

Une secte? Ce mot me brûle la bouche. C'est comme prononcer tout haut le mot «sexe» lorsque l'on a six ou sept ans. Vous entendez ce mot autour de vous, vous ne savez pas exactement ce qu'il signifie, mais vous vous rendez compte qu'il est accompagné d'une aura de plaisir, de mystère, d'amour, de haine...

S'il s'agit vraiment d'un culte ou d'une secte (je ne sais même pas quelle est la différence), il faut que je me renseigne. Je suis sûre que Sara ne mettrait pas sa vie en jeu, mais on ne sait jamais.

Première information : les *Pages Jaunes*. Je trouve facilement dans l'annuaire le numéro du *Centre d'Information sur les Cultes et les Sectes*. C'est trop tard pour aujourd'hui. Je tombe sur le répondeur. Je téléphonerai demain.

Dès l'ouverture des bureaux, j'appelle. Une secrétaire très aimable me répond :

– Oui, je comprends. Il faut que vous rencontriez un conseiller. Monsieur Untel pourrait vous recevoir lundi. Il demande tant de l'heure. Voulez-vous un rendez-vous ?

Je le prends. C'est cher, mais la situation est grave et mes connaissances sur les cultes et les sectes sont des plus réduites. Je veux avoir de l'information afin d'évaluer le danger que pourrait courir Sara si elle était effectivement partie rejoindre des gens de cet acabit.

Je me butte le nez sur la porte du *Centre* qui est fermée à clef. Du couloir, je dois décliner mon identité et l'objet de ma visite en élevant la voix. Ce n'est pas très discret ! La secrétaire me fait entrer.

– Je vous demande de bien vouloir nous excuser. Nous sommes obligés d'agir ainsi par mesure de prudence car nous avons eu une visite déplaisante la semaine dernière. Un système plus pratique va être installé prochainement.

Charmant et rassurant ! La pièce dans laquelle j'entre n'est pas très grande et elle est encombrée de papiers, dossiers, livres et dépliants. Elle sert de vestibule, de salle d'attente et de bureau pour la secrétaire. Je m'assieds et attends. Les murs auraient besoin d'un bon coup de peinture. L'endroit ne respire pas la richesse. La secrétaire tape frénétiquement tout en répondant au téléphone. J'écoute bien involontairement un roman qui me semble assez proche du mien. Je ne connaîtrai pas la fin car monsieur Untel apparaît et m'emmène dans une petite pièce au fond du couloir. Un réveil est posé en évidence sur son bureau. Lorsque je m'assieds, il tourne ostensiblement le cadran vers mes yeux.

Monsieur Untel est âgé et il a un air las, à décourager les confidences. Qu'importe ? Ce n'est peut-être qu'une attitude.

Je raconte mon histoire. Il écoute avec attention, puis me pose quelques questions. Je lui montre les lettres. Il y jette un coup d'œil, en prend une au hasard et la parcourt. Il consulte longuement des documents. L'heure tourne.

– Désolé. Il y a tellement de groupes ! C'est peut-être une secte, peut-être pas. Il y a tellement de sectes ! On ne peut pas les connaître toutes. Votre fille vient de partir, elle est majeure, elle est équilibrée, selon ce que vous me dites, elle a déjà vécu au loin…

– Oui, mais que pensez-vous de ces lettres ?

– Oui…, ces lettres… Ce n'est pas une blague. La meilleure chose que vous ayez à faire, c'est de la retrouver et de voir par vous-même de quoi il retourne.

Exaspérée, je me tais. Évidemment, j'ai pensé à cette solution-là ! J'ai envie de lui répondre que la difficulté, c'est que je ne sais pas où elle est. Si ma fille n'a pas laissé de mot, c'est parce qu'elle ne veut pas qu'on la retrouve. Quelle buse ! Il s'adresse à moi :

– Vous ne savez pas le nom du groupe ?

– Non. Je ne sais même pas si elle est dans un groupe. C'est une possibilité. Je voudrais surtout en savoir plus sur ces groupes. Qui sont-ils ? Comment agissent-ils ? Sont-ils dangereux ?

– Ils sont nombreux, vous dis-je. C'est plus facile quand on a un nom. Ça ne semble pas un groupe organisé.

– Et la police ?

– Oui, vous pouvez aller les voir, mais vos chances sont minces. Elle est majeure. Insistez en disant qu'elle est diabétique.

Merci du conseil. Ce n'est pas un argument ! Au moins six pour cent de la population est diabétique en Amérique du Nord.

En sortant, pensant à ma grand-mère normande, je dis tout haut : « Chou blanc ». Je n'ai pas appris grand-chose.

Les deux policiers, accoudés sur le comptoir, écoutent patiemment mon histoire. Ils ont l'air écœurés. Et ne disent rien.

«Encore une mère hystérique», ont-ils l'air de penser.

– Écoutez, madame! Votre fille a vingt-trois ans, elle vous a laissé un message, elle est avec son ami... On ne peut rien faire...

J'insiste. Je parle des lettres, de sa voix bizarre au téléphone, mais rien n'y fait. Pensant à monsieur Untel, je n'oublie pas le diabète.

À ces mots, le policier sourit. J'ai encore l'air plus idiote!

– Madame! Écoutez! Je vous répète : on ne peut rien faire. Votre fille n'a pas disparu puisqu'elle vous a laissé un message. Elle est chez son copain, son mari. Si vous voulez, écrivez sur un papier tout ce que vous venez de nous dire et rapportez-le demain.

– Je peux le faire tout de suite.

– Non, rentrez chez vous et faites ça tranquillement.

Il ne doit pas être de garde demain. C'est une façon polie de se débarrasser de moi.

Ils ne feront rien : «Chou blanc»! C'est un champ de choux que je vais avoir!

Je me retrouve seule, face à mon problème. Évidemment, Sara a le droit de choisir sa vie. Je suis bien d'accord, mais je veux m'assurer qu'il n'y a pas une histoire louche là-dessous. Je n'ai pas vécu vingt-trois ans avec mes filles sans les connaître et sans sentir que cette histoire est bizarre. Je suis inquiète. Sara avait l'air si constipé au téléphone que je suis sûre que c'est son copain – si copain il y a – qui l'a fait appeler. Il savait que la police ne la considérerait pas alors comme «personne disparue». Le copain-mari semble avoir de l'expérience dans ce genre d'aventure et c'est cela qui me fait le plus peur.

Vers qui me tourner? Je pense à Simon qui est un vieil ami de la famille et qui est psychologue de son métier.

– Tu as bien fait de m'appeler. Sara? Je la connais depuis qu'elle est née! C'est une fille bien. Si tu veux mon opinion, je parle en tant que parent, pas en tant que «psy» – c'est la petite phrase habituelle de Simon car il est respectueux de l'éthique professionnelle – ce que tu me décris ressemble plus à une crise d'adolescence, même si nous considérons qu'elle l'a faite plus tard que ses congénères. Du fait de sa condition médicale, Sara a été, dans certains domaines, obligée de mûrir rapidement. Elle n'a pas suivi le modèle habituel. Elle fait sa crise d'adolescence maintenant. Ce jeune homme qu'elle a rencontré a été le facteur déclencheur du processus. Si j'étais à ta place, je ne m'inquiéterais pas. Elle est très proche de toi, elle s'entend exceptionnellement bien avec sa sœur, elle a bien assumé le décès de son père... Je ne vois rien d'anormal. Dis-toi qu'elle t'aime et qu'elle reviendra à la maison. Si tu te sens seule, téléphone-moi... Tiens, ça fait longtemps qu'on ne s'est pas vus, je t'invite à déjeuner mercredi..., non, jeudi..., non, vendredi prochain midi. Ça te convient?

Simon nous connaît bien. J'ai confiance dans son jugement de psychologue. Le *Centre d'Information sur les Cultes et les Sectes* n'avait rien sur le groupe. Enfin, j'ai très confiance en Sara. Elle ne ferait jamais quelque chose de répréhensible.

Il fait un temps splendide. C'est l'été des Indiens. La couleur des arbres, la fraîcheur du petit matin, le vol des oies au-dessus de la rivière, le parfum des dernières roses, l'odeur de la tarte aux pommes, tout parle de bonheur tranquille.

J'essaye de me persuader que ma fille va bien et que je ne suis qu'une vieille idiote de mère qui s'inquiète. Mais, dès la tombée du jour, ma raison s'envole avec la lumière et je reste avec les chimères de la nuit.

J'ai déménagé dans la chambre qui donne sur la rue et je suis en état de veille continuelle. Si elle revenait? Si elle sonnait et que je ne l'entendais pas? Si quelqu'un la déposait en état de coma diabétique? Il faut faire vite, dans ces cas-là. Où est-elle? Est-elle capable de revenir? Ma fille a disparu et je l'attends.

Cela ne fait que dix jours qu'elle est partie et ma vie est bouleversée. Je me sens amputée, désarmée et ligotée dans une jolie maison d'une agréable banlieue nord-américaine. Pendant la journée, je reste à proximité du téléphone. La nuit, j'entretiens de longues conversations silencieuses avec elle.

Et j'attends.

Le voisinage

Attendre est devenu une seconde nature. Une chape d'immobilisme m'enveloppe. Faut-il agir? Faut-il ne rien faire? Qu'est-ce qui est mieux dans l'intérêt de la petite? Je ne peux me décider. Je n'ai aucune référence et ne peux m'appuyer sur personne. Je suis en pays étranger. La nuit, durant mes longues insomnies, je me prends pour Zorro. Au réveil, je reviens sur terre et la crainte de «bousiller», par un acte inconsidéré dû à ma méconnaissance des règles du jeu, la chance de la revoir vivante me retient. Alors, je reviens à la case départ et j'attends.

Un après-midi, on sonne à la porte :

«Elle a perdu ses clefs» est ma première pensée.

Je me précipite et ouvre. Devant moi se tient un homme que je ne connais pas. Il est grand, mince, correctement vêtu. Il se frotte les mains d'un air gêné. Encore un quêteux! Mais celui-là, c'est un timide qui n'a pas l'air à l'aise.

Avec un accent prononcé, il se présente :

– Je suis le pasteur de l'église anglicane du boulevard Grand. Vos voisins, M. et Mme S., m'ont fait part de la disparition de votre fille. Or, je la connais un peu car elle est venue plusieurs fois me voir l'été dernier pour me demander conseil. Vous permettez?

Mes filles et moi-même avons surnommé, avec raison, le quartier où nous habitons «Le village». Nous nous sommes aperçues qu'un des passe-temps favori de quelques vieux couples à la retraite du voisinage était de s'intéresser aux affaires des autres. Assis sur leur chaise à bascule de la galerie, ils guettent le va-et-vient de la population active du coin. Rien ne leur échappe, même l'hiver lorsque la froidure les oblige à se calfeutrer à l'intérieur. Vous ne pouvez revenir chez vous sans apercevoir un rideau qui se soulève, a fortiori lorsque vous avez des invités.

C'est un vrai village : tous les événements visibles sont commentés. «La petite X attend un bébé... Monsieur Y a quitté sa femme : cela faisait un bout de temps qu'il courait après une belle blonde!... Les Untel viennent de s'acheter une troisième voiture... Madame Z a l'air bien fatiguée... Vous croyez qu'elle a un cancer?»

C'est une forme de distraction où la curiosité l'emporte sur la médisance. C'est aussi un esprit de village, une sorte de cohésion qui remonte aux temps anciens où la survie dépendait souvent de la bonté et de l'aide du voisin.

Ces vieux voisins dont la curiosité m'agace et agaçait encore plus mes filles, soucieuses que l'on ne rapporte pas à leur mère leurs aventures adolescentes, m'ont souvent rendu service.

Aujourd'hui encore, j'apprécie qu'ils aient été bavarder avec le curé du coin.

Assis sur une chaise dans le salon, les coudes sur les genoux, le buste penché en avant, mon bon Samaritain m'écoute. Je lui fais part de mes craintes :

– Mon père, si Sara ne prend pas son insuline, elle va mourir.

Il se tait.

Je lui montre les lettres du groupe pour appuyer mes dires. Il les lit lentement.

– J'ai rencontré votre fille l'été dernier. Elle est venue me demander des explications sur certains passages des Écritures. Nous nous sommes revus plusieurs fois. Elle a l'esprit curieux et critique et l'interprétation des Écritures n'est pas chose facile. Elle est aussi à un âge où l'on se cherche. J'étais comme elle à son âge…

– Vous n'avez pas fini si mal que ça !

Il rit. Il se lève et se dirige vers la fenêtre qui donne sur le jardin.

– Vous aimez beaucoup votre jardin, constate-t-il. Il est splendide !

L'esprit troublé par les aventures de Sara, je réponds un peu n'importe quoi :

– Pour l'instant, ce sont plutôt des tas de feuilles que vous voyez ! Je protège les rosiers pour l'hiver et les hortensias aussi, car ils craignent le froid.

Perdu dans ses pensées, le regard vague, il se tient coi.

J'attends… Il me surprend en faisant subitement volte-face.

– Laissez-moi passer quelques coups de fil. Je connais beaucoup de monde. Je vous tiens au courant. Gardez confiance.

Le pasteur anglican m'a rappelé hier. Il me conseille de rencontrer un certain Jo qui pourrait m'aider.

– Allez le voir de ma part. C'est un type très intéressant. Cela fait des années que je le connais. C'est un de mes anciens paroissiens. S'il peut vous aider, il n'hésitera pas. Ne restez pas toute seule, allez le voir. Vous serez surprise. Vous le connaissez peut-être ? Il a un des plus beaux jardins de la région. Vous avez besoin de quelqu'un.

Dans quelle aventure ce pasteur m'entraîne-t-il? J'ai besoin d'une épaule actuellement, c'est certain, mais uniquement pour m'aider à retrouver ma fille.

L'adresse de Jo que m'a donnée le pasteur est à une vingtaine de minutes en voiture. Jo habite près du fleuve et le trajet par cette belle matinée est un enchantement. Les arbres ont revêtu leur parure d'automne : c'est une symphonie d'or, de cuivre, de sépia et d'ocre. Les rayons du soleil qui percent à travers la brume matinale et les fumerolles qui montent du pied des arbres ajoutent au côté théâtral du décor, mais l'odeur de terre mouillée et de pourriture est bien réelle.

La maison de Jo est entourée d'un immense jardin.

J'aperçois de nombreux arbres, des moignons gigantesques qui doivent être recouverts de roses à la belle saison, des parterres de fleurs avec les derniers dahlias et des chrysanthèmes, des buissons d'hortensias dont les grosses boules vieux rose oscillent avec le vent.

La maison est en pierre avec le toit pentu caractéristique des pays de neige.

Je gare la voiture sur l'herbe à côté d'une pile de branches liées en fagots. Le long de l'allée, je remarque que plusieurs parterres sont recouverts de feuilles et de paille, d'autres sont fraîchement retournés. Les rosiers sont taillés au centimètre près selon les règles d'horticulture. À côté de la porte des géraniums en pots sont alignés prêts à passer l'hiver à l'intérieur. Une clématite grimpante éclaire la véranda de ses dernières feuilles mauve pâle.

Le pasteur avait raison : quel jardin!

Ne trouvant pas la sonnette, je frappe puis cogne à la porte.

– Entrez, c'est ouvert ! Entrez, je vous en prie, et excusez-moi, j'ai les mains pleines de terre : je suis en train de rempoter mes herbes aromatiques pour l'hiver.

Je m'en serais doutée ! La voix est sympathique. Pour le reste, je ne vois qu'un dos. Ce monsieur est absorbé par sa tâche.

J'avance. Toujours penché, il tourne la tête de côté avec un large sourire. Je vois une paire d'yeux vifs brun foncé et une masse de cheveux bruns. Je lui donne la quarantaine bien pesée. Il est vêtu d'une chemise à carreaux dont les manches sont retroussées au-dessus des coudes et d'un vieux pantalon en velours côtelé de couleur indéfinie. « Une guenille », aurait dit ma grand-mère. Mais le pompon, ce sont les pieds ! Il porte dans la maison une paire volumineuse de sabots jaune bouton-d'or.

– Je vous attendais. *Vraiment ?* Excusez le désordre. On va sans doute avoir du gel ces jours-ci et je suis en retard dans mes préparatifs pour l'hiver. Asseyez-vous, j'en ai encore pour quelques minutes. Oh ! avant, pourriez-vous allumer sous le café ? La cuisine est là derrière.

Et d'un pouce terreux, il m'indique la direction.

Sans façons. La maison est jolie, mais dans quel état ! Trouver la cafetière n'est pas difficile, mais un siège libre, c'est une autre histoire ! Je regarde autour de moi : deux fauteuils confortables encadrent le foyer. Sur celui de droite, le chat étalé de tout son long se lèche consciencieusement patte et coussinets à petits coups de langue répétés. Il fait son indifférent, mais suit discrètement de ses yeux mordorés tous mes mouvements. Du linge proprement plié est empilé jusqu'au haut du dossier de l'autre fauteuil. Trois chaises sont également inaccessibles : la première est occupée par une pile de journaux et de revues, la deuxième par des vêtements surmontés d'un chapeau de paille et la dernière par un volumineux paquet. C'est sympathique, mais plutôt fouillis. Et c'est gentiment dit, si on note le fait que Jo rempote persil et estragon sur une imposante table de salle à manger en chêne, recouverte de journaux.

– Excusez-moi. Je suis toujours débordé à l'automne. J'ai trop à faire avec ce jardin !

En mon for intérieur, je pense que c'est du pareil au même au printemps.

D'un geste naturel, il prend à bras-le-corps la pile de journaux, le paquet « c'est ma commande de tulipes » et les dépose sur le coin de la table. Puis, toujours en sabots, va chercher le café à la cuisine. On n'est pas dans une écurie ou dans une serre, mais dans une belle vieille maison avec un parquet en bois dur.

Spécial ce gars ! D'où vient-il ? Est-il né avec des sabots aux pieds ? J'hésite... Il a les cheveux noirs... mais je me rappelle avoir appris que la Hollande a été envahie par les troupes du duc d'Albe, ce qui pourrait expliquer sabots hollandais et cheveux noirs.

– Venez-vous de Hollande ?

Il sourit et me rétorque d'un ton légèrement moqueur :

– Ah ! les femmes intelligentes ! Les sabots ? Non, je suis désolé de vous décevoir mais je suis *as American as apple pie*, aussi américain que la tarte aux pommes. Mais je suis un jardinier hors pair ! Notre ami commun m'a dit que vous aussi aviez la passion des jardins.

– La passion, c'est un bien grand mot. Mais je prends grand plaisir à jardiner, même si mon jardin n'a rien de comparable avec le vôtre.

Il me dévisage.

– Vous n'êtes pas venue jusqu'ici pour parler de plantes, n'est-ce pas ?

– Non, pas vraiment. Voilà : ma fille de vingt-trois ans, diabétique, a brutalement quitté la maison ; je crains qu'elle ne soit impliquée dans un groupe ou une secte, je ne sais pas trop. Ce que je veux savoir, c'est si sa vie est en danger ou pas. J'ai essayé de me renseigner, mais sans trop de succès. Mes connaissances des sectes et des cultes proviennent des faits divers et de la littérature à sensation : l'*Ordre du Temple solaire*, les cadavres de Jonestown en Guyane, l'incendie de Waco et tout récemment l'émission de gaz mortels dans le métro au Japon. Je voudrais avoir une information un peu plus sérieuse.

– Ces tragédies ont fait la une dans les journaux et auprès des médias; ce n'est malheureusement que la pointe de l'iceberg. Au quotidien, à côté de chez nous, ça se passe aussi. Ce n'est pas à grand spectacle, mais c'est aussi grave, peut-être même encore plus grave parce que c'est une épidémie silencieuse et sournoise. Un expert affirme qu'*actuellement, un membre de votre famille a sensiblement autant de chance de joindre un culte que d'attraper la varicelle (1)*. C'est assez effarant, n'est-ce pas? Mais parlez-moi de vous.

Je fais le résumé des derniers événements et de mes démarches et un topo succinct sur Sara. Jo écoute attentivement sans m'interrompre.

– À la lumière des informations que vous avez, je ne suis pas en mesure de vous donner une réponse nette mais, et je pense tout haut, si vous considérez que :

Premièrement : vous n'avez pas de contact avec votre fille – à part le court message laissé sur votre répondeur le jour où elle est partie – et vous êtes, au moment où nous nous parlons, dans l'impossibilité de communiquer avec elle, que ce soit de vive voix, par téléphone ou par lettre.

Deuxièmement : elle a disparu brusquement sans avertir qui que ce soit de la famille et même pas sa sœur, alors que vous venez de me dire que vos jumelles sont comme les deux doigts de la main.

Troisièmement : Vous me dites que Sara n'était pas, à votre connaissance, particulièrement religieuse; or, le message qu'elle a laissé fait référence à «la volonté de Dieu». Un petit peu comme si elle vous disait : «J'agis, mais ce n'est pas moi qui agis, c'est un Dieu tout-puissant qui décide pour moi.»

Avec ces données, je peux émettre deux hypothèses : soit que Sara est très secrète et qu'elle est tombée subitement amoureuse d'une personne très religieuse, soit que quelqu'un exerce un certain contrôle sur elle.

Enfin, et c'est le quatrième point, vous avez fait référence à une note que vous aviez trouvée dans ses papiers, écrite de sa main mais non datée : «Je suis laide, je suis méchante, je suis sale.» Vous avez dit : «Je suis très étonnée; ce n'est pas elle, ça ne lui ressemble pas du tout.»

Donc, je vois une situation où il y a contrôle et besoin de pureté. Si à cela on ajoute les lettres, oui, je pense que nous avons tous les éléments pour poser l'hypothèse que Sara est bien dans une secte. Je ne suis pas en mesure d'évaluer l'impact ou la gravité des conséquences de son geste, mais je peux vous affirmer qu'il y aura des conséquences sérieuses si l'on pense que cette jeune femme diabétique est entre les mains d'un groupe qui pratique le *healing*, la guérison par la foi.

– Je peux comprendre que ma fille soit dans un groupe, une secte ou ce que vous voulez, comme vous venez de me le démontrer. Mais je suis persuadée que Sara qui est une jeune femme rationnelle, intelligente et sérieuse, n'ira pas mettre sa vie en danger même si elle est en amour avec un drôle d'oiseau. Elle a une bonne connaissance de sa condition médicale et de sa gravité. Cela fait dix ans qu'elle est diabétique et elle a toujours, par monts et par vaux, contrôlé très bien elle-même son diabète. Elle connaît les malaises et elle sait les risques qu'elle court si elle ne suit pas sérieusement ses soins. S'occuper de son diabète est devenu un automatisme chez elle. Alors, qu'elle mette sa vie en danger? Non, je n'y crois pas.

Jo me fixe longuement.

Devant ce silence, je me rends compte de la faiblesse de mon plaidoyer. C'est moi qui ai des œillères et qui, par superstition, ne veut pas faire face à l'absurde réalité.

Prononcer tout haut les mots, c'est accepter le fait. Et ça fait mal.

Un ami médecin disait avec sagesse : «Je ne dis jamais à mes patients qu'ils ont un cancer; j'attends qu'ils me le demandent. Quand ils me posent la question, c'est qu'ils sont prêts à entendre la réponse.»

Pour l'instant, j'ai le cœur qui chavire. Je me tourne avec anxiété vers Jo.

– Qu'est-ce que je peux faire? Je ne sais même pas où elle se trouve! Et avec qui? Un groupe qu'elle a connu l'an dernier, cette année, avant, en vacances? Elle peut très vite faire un coma diabétique si elle n'a pas ses injections d'insuline. Elle en a quatre par jour! La police ne va rien faire pour l'instant, et pourtant si ce que vous dites est vrai, la situation est urgente.

– Calmons-nous. Je vous ai fait un scénario noir, mais rappelez-vous, ce ne sont que des hypothèses... Il se peut que nous ayons affaire à une passade. Si elle a suivi quelqu'un, ça ne veut pas dire qu'elle adoptera toutes ses idées. Il est fort probable que votre fille sera assez forte pour ne pas mettre sa vie en jeu. Elle peut aussi avoir été entraînée par la curiosité, un nouveau mode de vie, des nouvelles idées... C'est l'âge des grandes passions et des grandes découvertes : le monde est vaste et il est à leur portée. C'est un âge merveilleux. Ils ont l'indépendance de l'âge adulte sans en avoir encore les responsabilités quotidiennes. Je pense qu'il faut d'abord essayer de la retrouver pour juger de la situation. Réfléchissons. A-t-elle un compte en banque?

– Oui, je fais un transfert d'argent sur son compte tous les mois pour son insuline.

– Bon. C’est une première piste. Allez à votre banque et demandez une copie de ses dernières transactions. Officiellement, ils n’ont pas le droit de le faire, mais si vous les connaissez bien et que vous expliquez la situation... Vous avez aussi son carnet d’adresses. Appelez tous les numéros. Il y a peut-être quelqu’un qui l’a vue.

– J’y ai pensé, mais j’avais peur de les affoler ou de les faire fuir et que ça lui nuise.

– Non, vous êtes sa mère. C’est tout à fait normal que vous demandiez de ses nouvelles. Vous voulez seulement savoir si elle va bien. N’hésitez pas : appelez tout le monde ! Agissez ! Et tenez-moi au courant, appelez-moi quand vous voulez et ne désespérez pas. Vous avez beaucoup d’ouvrage devant vous.

Dans l'action

La sous-directrice de la banque est assise en face de moi et hoche la tête.

– C'est incroyable ! Ce sont des histoires que vous lisez dans les journaux. Je ne me serais jamais doutée que la petite Sara que je vois de temps en temps serait capable de faire une chose pareille. J'ai quatre enfants et ça me fait peur !

– Je peux vous dire que la plus étonnée, c'est moi. C'est pour cela que je veux m'assurer qu'il n'y a rien de tordu là-dessous et qu'elle va bien. C'est vrai que j'ai tendance à m'inquiéter pour elle, peut-être exagérément, à cause de son diabète, mais…

– Petits enfants, petits problèmes ; grands enfants, grands problèmes ! Je vois sur l'écran que vous faites un transfert sur son compte tous les mois… Oui, il y a eu plusieurs mouvements depuis quinze jours…

– Est-ce que je peux avoir une copie ?

– Je n'ai pas le droit de le faire… mais moi aussi, je suis une mère… Nous ne nous sommes pas vues, n'est-ce pas ?

Et elle me tend la feuille.

Ouf ! Un point de départ. J'épluche le relevé. Sara a fait beaucoup de transactions depuis la date de son départ, des petits montants pour la plupart.

Je vois *Pharmacie*. Ce n'est pas le nom de sa pharmacie habituelle. Le montant correspond à une fiole d'insuline. Donc, elle se soigne.

Puis : *Compagnie de Bus Express*. Ça signifie qu'elle a quitté la ville.

J'appelle la *Compagnie de Bus Express*.

– Je suis à la recherche de ma fille. *Je ne précise pas son âge*. Elle a acheté récemment un billet à cent vingt-quatre dollars. Pouvez-vous me dire à quoi correspond ce montant ?

– Madame ! J'ai pas le temps ! J'ai toute une file devant moi !

– S'il vous plaît, c'est très important. C'est ma fille, je ne sais pas où elle est. Passez-moi quelqu'un d'autre.

– Je vous « connecte » avec le service aux consommateurs.

– Cent vingt-quatre dollars ?... J'ai pas de billet qui vaut ce prix-là... C'est pas un prix régulier, ça ?... Ce serait « un spécial » ?... On fait des rabais pour les étudiants et les personnes de l'âge d'or... On a aussi le tarif excursion... Est-ce qu'elle a acheté un aller simple ?

– Je n'en ai pas la moindre idée. À votre avis, avec un tarif à cent vingt-quatre dollars, elle peut aller jusqu'où ?

– J'dirais moins de quatre cents kilomètres pour un aller simple à tarif régulier.

C'est large ! J'essaye de resserrer la problématique. Je me dis qu'il y a de fortes chances pour qu'elle ait pris un aller simple au tarif étudiant. Maintenant, a-t-elle pris un ou deux billets ? Un billet à tarif étudiant, deux billets à tarif étudiant ou deux billets dont l'un à plein tarif ? Les renseignements obtenus par le système de réservation automatique de la compagnie d'autobus me permettent d'identifier trois villes potentielles.

J'épluche de nouveau son relevé de compte. Je note un débit au *Poulet Frit Maison* et deux débits aux *Magasins à Rabais Géants*. Ce sont des commerces qui ont des succursales implantées dans tout l'Est des États-Unis et au Canada. Je ne suis pas très avancée. Les autres transactions correspondent à des petits montants tirés à des guichets automatiques qui sont identifiés par un numéro.

Je rappelle la banque.

– Est-ce que vous pouvez repérer facilement l'origine d'un retrait automatique en ayant le numéro d'identification du guichet ?

– Sans aucun problème, mais ça va demander trois semaines.

Aïe ! C'est trop long. Le temps de survie sans insuline peut être de huit à dix jours au mieux.

J'appelle la maison mère du *Poulet Frit Maison* et leur demande de m'envoyer par télécopieur la liste de toutes leurs succursales dans l'Est. Je fais de même avec les *Magasins à Rabais Géants*. Ça ne pose aucun problème, je n'ai même pas besoin de donner d'explication. Puis, je vais à la bibliothèque municipale et photocopie les cartes détaillées des trois villes que j'ai repérées. Je rapporte ensuite les adresses avec de petits cercles bleus pour le *Poulet Frit Maison* et rouges pour les *Magasins à Rabais Géants*.

J'essaye de me mettre à leur place. Comment se déplacent-ils ? Je me dis que, s'ils ont utilisé le bus, c'est qu'ils n'ont pas de voiture et qu'il y a donc de fortes chances pour qu'ils se déplacent à pied en ville.

L'axiome de la facilité est souvent valable : pourquoi aller plus loin, quand on peut avoir sous la main ce dont on a besoin ?

Sur une des cartes, les points rouges et bleus sont éparpillés : je l'élimine. Sur les deux autres, on remarque plusieurs agglomérats. Deux villes sont en lice. Otterton, la ville où Sara a été à l'université l'an dernier est l'une d'elle. Ça y est, j'ai trouvé !

Je suis sur leurs traces, mais la ville est grande. Un instant la pensée m'effleure qu'ils ont peut-être déménagé… On verra.

Je passe à l'autre piste : le carnet d'adresses. Il me faut deux jours pour arriver à rejoindre un tiers des personnes dont j'ai le numéro de téléphone. Je tombe sur beaucoup d'étudiants qui viennent d'emménager. Parmi ceux qui étaient là l'an dernier, quelques-uns se souviennent de Sara.

La conversation type est la suivante :

– Oui, je me souviens bien d'elle. Non, elle n'est plus à l'université cette année. Elle est repartie dans sa famille.

– Nous avons des raisons de penser qu'elle est retournée à Otterton. Si par hasard vous la rencontrez, pouvez-vous lui dire d'appeler à la maison ? C'est urgent. Je vous remercie.

Une des étudiantes m'offre une version améliorée :

– Sara avait un amoureux l'an dernier.

– Savez-vous son nom ?

– Non, désolée.

Mon dernier appel est pour un certain «Léo, homme d'affaires», tel qu'indiqué dans le carnet de Sara. Qu'est-ce que vient faire ce type dans les relations d'une étudiante ? Mon imagination galope… Était-ce son amant ? J'appelle avec circonspection. Je patauge quelque peu. J'entends un enfant qui pleure… Ô Sara, Sara ! Que faisais-tu avec un homme marié !

– Mais oui, je me souviens très bien de Sara… Elle était souvent accompagnée d'un ami.

– Savez-vous son nom ?

– Oui. Il s'appelle Tim.

Enfin ! Léo est éliminé de la liste des suspects; par contre, ce Tim est dans la ligne de mire. C'est donc lui, le mystérieux T.

– Pouvez-vous me donner son numéro de téléphone ?

– Je ne crois pas qu'il ait le téléphone.

Pas le téléphone ! Qu'est-ce que c'est que ce loustic ? Ça ne me dit rien qui vaille.

– Bon, pouvez-vous me donner son adresse ?

– Non, désolé, me répond-il d'un ton cinglant et final.

Je ne veux pas qu'il raccroche; je veux essayer de lui soutirer le maximum d'information. J'enchaîne immédiatement d'une voix bien innocente :

– Comment avez-vous connu Sara ?

– Je suis évangéliste. J'ai rencontré votre fille l'an dernier, à des réunions d'études bibliques à l'université.

– Je dois vous dire que Sara est partie très brusquement... Elle est diabétique... Je m'inquiète... Pourriez-vous vérifier si par hasard elle aurait rejoint ce Tim dont vous me parlez ?

Il se radoucit.

– Je comprends. Je ne savais pas qu'elle était diabétique. Quand je descendrai en ville, j'irai jusque chez Tim. Je le connais peu mais je me rappelle que l'an dernier Tim prêchait souvent avec un de mes amis évangélistes. Je le rencontre tout à l'heure; je vais le mettre au courant. Que Dieu vous garde !

Dix jours passent. Aucunes nouvelles. Je rappelle Léo.

– J'ai parlé à mon ami évangéliste, le père Ange. Il n'a pas vu Tim ces jours-ci.

– Avez-vous pu aller jusque chez lui ?

– Non, comme je vous l'ai dit, moi, je le connais peu. C'est le père Ange qui connaît Tim depuis de nombreuses années. Mais soyez rassurée, il m'a dit que si votre fille était avec Tim, vous pouviez être tranquille. C'est un garçon très sérieux et respectueux. Il ne ferait pas de mal à une mouche. Elle est en sécurité avec lui. Le père Ange connaît bien les parents de Tim. Ce sont des gens honnêtes; ils ont une grosse ferme dans le Nord.

– Qu'est-ce que fait Tim?

– Il est *Street Preacher*, il prêche la bonne parole dans la rue; c'est un évangéliste sur le terrain.

– Bon, donnez-moi son adresse. Je voudrais quand même savoir si ma fille est avec lui.

– Je ne l'ai pas, je vais la demander au père Ange la prochaine fois que je le verrai.

Il a l'air de prendre la situation à la légère. J'insiste.

– Écoutez! J'ai ici des lettres de Tim dans lesquelles il parle de *healing*, de guérison par l'imposition des mains, du style «Croyez et vous serez guéri.» Comprenez que je m'inquiète pour ma fille à cause de son diabète.

– Ma fille, il faut faire confiance à Dieu.

– Si Sara n'a pas ses injections d'insuline tous les jours, elle peut mourir. Elle devient très vite désorientée si le taux de sucre dans son sang est trop élevé ou trop bas. S'il vous plaît, faites ce que vous pouvez pour essayer de savoir si elle est avec Tim. Vous avez des contacts, vous faites partie du même groupe religieux, vous êtes bien placé pour vous renseigner puisque je n'ai pas l'adresse moi-même. Je vous le dis : si Sara n'a pas son insuline, ça ne va pas être long, vous allez vous retrouver avec un cadavre sur les bras!

Je ne veux pas le menacer, mais je veux qu'il se rende compte de la gravité de la situation et qu'il prévienne les gens qu'il connaît.

La seule réponse que j'obtiens est un froid : «Je vais prier pour vous.»

L'inertie et l'indifférence de Léo m'ont agacée. Je me suis emballée. L'inquiétude des mères, c'est quelque chose à laquelle on ne s'habitue pas. Quelle mère n'a jamais «vu» son enfant avoir un accident lorsqu'il partait en virée avec des copains? Combien sommes-nous à avoir bêtement couru auprès du berceau pour s'assurer que le petit trésor respirait? Ça fait partie du «job».

Les jours passent et je suis toujours sans nouvelles de Sara.

Je continue à écrémer le carnet d'adresses. Cette fois-là, une certaine Pat me répond. Elle est étudiante à l'université d'Otterton.

– Sara? Je la connais bien, c'était ma voisine de chambre. Non, je ne l'ai pas vue cette année. Elle n'est pas sur le campus et je ne vais pas souvent en ville, mais si je la vois, je vous appelle.

– Nous pensons qu'elle est avec un certain Tim. Est-ce que vous le connaissez?

– Tim? Non. Mais excusez-moi, il faut que je vous laisse, j'ai un cours qui commence dans cinq minutes.

– C'est un gars qui prêche dans la rue...

– Oh! ce Tim-là! Mais oui, je le connais. Tout le monde le connaît, ça fait des siècles qu'il prêche sur le campus! Il est un peu bizarre, mais il est très, très gentil. Je vous quitte. Si je vois Sara, je lui dis de vous appeler.

Je me sens un peu rassurée et j'en viens à espérer que Sara est avec ce gars-là. Ce n'est pas exactement le gendre rêvé, mais s'il est «très-très-gentil»... Mieux vaut épouser un pauvre pasteur qu'un riche souteneur!

Il vaudrait mieux que je fasse sa connaissance. Trouver son adresse ne doit pas être impossible.

Je rappelle Léo : pas de réponse.

J'essaye de trouver les coordonnées du père Ange : c'est compliqué sans nom de famille.

J'appelle le chapelain de l'université d'Otterton : il me renvoie à l'association chrétienne des étudiants. Je parle à quelques personnes et je remonte la filière avec succès. Enfin !

C'est l'épouse du père Ange qui décroche. Elle a une voix douce et parle lentement; j'ai quelque difficulté à lui faire comprendre que je veux simplement l'adresse de Tim. Serait-elle simple d'esprit ?

J'ai l'adresse. Que fais-je maintenant ? Leur rendre visite tout de go, comme cela, me semble prématuré. Si je lui écris, elle va vite comprendre que je me suis démenée pour savoir où elle était et elle va trouver que je m'immisce dans ses affaires. Elle veut que je la laisse tranquille, sinon pourquoi serait-elle partie sans prévenir ?

« Je suis une grande fille, Maman. C'est MA vie. »

Mon poulain a tiré sur la longe et l'a cassée. Je ferais mieux d'attendre qu'elle m'écrive.

« Il y a un temps pour tout
Il y a un temps pour pleurer et un temps pour rire,
Un temps pour se lamenter et un temps pour danser,
Un temps pour chercher et un temps pour abandonner,
Un temps pour se taire et un temps pour parler,
Un temps pour aimer et un temps pour haïr,
Un temps pour la guerre et un temps pour la paix » (2).

C'est le temps pour quitter le nid et pour voler de ses propres ailes. Mais je me demande encore pourquoi Sara a procédé aussi brutalement pour couper les liens avec la famille. N'a-t-elle pas eu le courage de faire face, de me le dire de vive voix ? Elle n'était pas lâche; cela ne lui ressemble pas.

L'amour ? Ah ! l'amour... Lorsque le vent de la passion vous emporte, vous êtes au-dessus des petites réalités quotidiennes... jusqu'à ce que les premiers nuages apparaissent. La passion manque souvent de civilité. A fortiori un premier amour qui est égoïste et insensible à tout ce qui est autre. Mon bébé a vingt-trois ans. Un premier amour est une expérience à vivre sans une maman. Il est temps de lui lâcher la main.

Les passions passent, la passion reste. Elle verra bien…

Je mets Anne au courant.

– Tant mieux, Maman. Si son copain est gentil, c'est ce qui compte. Il serait temps que tu réalises que nous ne sommes plus des bébés. À notre âge, tu avais déjà deux enfants !

– C'était une autre époque !

– Tous les parents disent ça ! Je trouve tout de même qu'elle aurait pu nous prévenir. Elle ne s'est pas conduite correctement. Elle a peut-être pensé que tu allais l'en empêcher… Je lui en veux… On s'est tourmentées pour rien ! Ça va aller maintenant, Maman : prends ça doucement. Tu n'as pas changé tes projets ? Tu viens toujours à Noël ?

– Je serai là, ma chérie. Tu ne peux savoir combien je me réjouis d'avance !

J'ai promis à Jo de l'appeler.

– Ce sont de bonnes nouvelles. Continuez à essayer de la rejoindre. Ne lâchez pas, vous êtes sur le bon chemin.

– Merci. Tout va bien dans le jardin ? Vous avez terminé ?

– Ça y est. Je viens de mettre les derniers bulbes de tulipes en terre : quatre douzaines d'*Estella Rijnveld* et d'*Elizabeth Arden*. J'ai aussi planté une colonie de narcisses *Sir Winston Churchill* et des muscaris au pied des pommiers. Ça repousse d'année en année… C'est pour ça que je les aime.

– Je viendrai voir ça au printemps.

– J'espère bien.

Il écourte la conversation. Est-il pressé?

– Pour votre fille, pensez à ce que je vous ai dit. Bonne chance!

Il n'est pas de très bonne humeur, ce monsieur, à part lorsqu'il parle de son jardin. Ce n'est qu'un vieux garçon à l'humeur changeante. Ma grand-mère, avec son franc-parler, l'aurait qualifié de «pète-sec». Il était nettement plus sympathique lors de ma première visite. Tant pis.

Retour à la vie normale

Le dernier enfant a quitté le nid. Il faut tourner la page. Reprendre une nouvelle vie qui ait du bon sens. Arrêter de s'apitoyer sur soi-même. La thérapie antitristesse, je connais... Je n'ai qu'à appliquer le bon vieux système de nos grand-mères : s'occuper, se trouver des activités, adopter un rythme de vie raisonnable et, très rapidement, ce qui est un effort va se transformer en habitude. À moi de m'organiser. C'est la vie!

J'écris à Sara une lettre aussi neutre que possible : «Je t'aime... J'espère que tout va bien... Je serai contente d'avoir de tes nouvelles... Tu peux appeler à frais virés... Anne va bien... elle attend le bébé pour Pâques... J'ai un nouvel ami, Jo, qui est fanatique de jardinage... Nous t'aimons beaucoup... Nous pensons à toi... Donne des nouvelles. Ta maman pour toujours. *Love.*»

C'est juste un petit mot (je suis sûre qu'elle va la donner à lire à son ami) pour qu'elle sache que, de notre côté, rien n'a changé. Maman, sa sœur, la famille, c'est le port d'attache où elle peut revenir s'ancrer après la tempête.

Ensuite, je me concocte un programme antidéprime.

Je vais aller trois fois par semaine au *Sporting Club.* C'est un club chic, beaucoup trop cher pour mes moyens, mais c'est mon petit luxe.

Je vais aller dîner avec ma meilleure amie ; je la connais depuis le collège et les tribulations de la vie ne sont pas arrivées à nous séparer.

Je vais me nourrir décemment. Fini le régime « ouvrir la porte du réfrigérateur et manger ce qu'il y a ». J'ai survécu ces dernières semaines avec pain-confiture-œufs et thé-café sucrés. Ça n'a pas d'allure !

Je vais profiter de ma liberté pour lire ou écouter de la musique à des heures indues.

Dorénavant, je me conduirai comme une personne normale et non comme une mère éplorée.

Aller au *Sporting Club*, c'est s'offrir un dépaysement complet, à deux pas de chez soi. Le club est « haut de gamme », les gens chics et souvent snobs. L'abonnement fait un sérieux trou dans mon budget mensuel mais, même si je n'ai pas les moyens de 90 % des autres membres, je continue à y aller. Être entourée de luxe pendant quelques heures est une gâterie bien agréable.

Tout m'amuse : l'ambiance, le bistro « français » avec ses mini-portions-maxi-prix et les bavardages. Les conversations de ces dames dans le sauna ou le hammam profitent à toutes celles qui sont présentes. Comme je suis myope et que je laisse mes lunettes au vestiaire à cause de la vapeur, je n'entends que les voix. Heureusement, car que d'indiscrétions ! En dix minutes, vous savez tout sur leurs problèmes de ligne et d'esthétique, leurs recettes de beauté, les hommes dans leur vie (amants d'abord, maris ensuite) et leur dernier voyage à Bali, à Hawaï ou en Floride, dans cet ordre s'il vous plaît !

J'appelle ça « l'effet gynécée » : les classes sociales ont disparu avec les vêtements, l'anonymat est protégé par la vapeur (ou par les myopies), le climat est aux confidences.

Un jour, par curiosité, j'ai demandé à Simon, mon ami psychologue qui est membre du club, s'il avait constaté cet effet chez les hommes.

– Tu veux rire? Parler de sa vie privée? Pas question. La seule chose qui les intéresse, c'est le «business» et le fric. Je viens ici pour me détendre et, eux, ils me cassent les oreilles avec leurs placements et leur cousin de New York qui a fait un fric fou alors qu'eux en ont perdu, ces fichus impôts qui augmentent (comme si je ne le savais pas!) et la politique. Tu te rends compte! Ce n'est pas avec ça que j'arrive à me relaxer. Évidemment, chez les bonnes femmes…

Simon prend son air de chérubin. Je souris, je connais ses pensées. Il adore les femmes, toutes les femmes. Je l'imagine en train de se lécher les babines à l'idée qu'il est dans le vestiaire des femmes.

– Simon! Reviens sur terre!

Il me regarde, les yeux encore embués de rêves. Mais il ne perd pas le nord :

– Dis-moi, toi…

Je l'arrête tout de suite. Cela fait des années qu'il me poursuit gentiment de ses assiduités, mais je l'apprécie trop comme ami et comme collègue de travail pour le prendre comme amant. Lui, cela ne le gêne pas; moi, oui. Je me vois mal défendre un dossier devant quelqu'un qui m'a vue nue et amoureuse une heure avant.

Dans ce domaine-là, j'applique le diktat classique : «On ne baise pas dans sa sous-préfecture.»

Mais j'apprécie le geste. C'est toujours agréable de se sentir désirée malgré rides et myopie. Il doit être myope lui-même!

– Ton «effet gynécée»… Hum!… L'intimité par la vapeur? Tu me fais rire…

– Alors pourquoi n'y a-t-il pas le pendant chez les hommes?

– Tu veux que je te dise pourquoi? Vous, vous restez belles et sveltes, mais nous, pauvres hommes, on prend de la bedaine en vieillissant...

– Mon pauvre petit chou, tu veux que je te console?

– Tu ne veux pas. Et puis ne m'interromps pas! Je disais que nous, pauvres vieillards bedonnants, nous avons assez de bon sens pour sauvegarder notre pudeur ou nos illusions. Cinquante bonhommes nus, ça fait corps de garde; cinquante femmes, c'est le paradis. Tu sais ce que dit un cinéaste : «Le pénis est un acteur capricieux.»

Et nous revoilà au sexe. Simon, Simon, tu ne penses qu'à ça!

Le lunch avec ma meilleure amie est plus calme. Nous ne nous voyons pas très souvent alors, à chaque fois que nous nous rencontrons, nous faisons le point.

– Comment vont tes filles?

– Anne va bien. Je vais être grand-mère à la mi-avril.

– Déjà! Ce que les années passent vite... Et Sara, comment ça va?

– J'espère que Sara va bien; elle est retournée à Otterton.

– Un ami?

Brusquement, j'ai chaud et les larmes me montent aux yeux.

– Écoute, je suis désolée, je ne suis pas capable d'en parler.

Avec à-propos, elle passe rapidement à un autre sujet.

– Et pour Noël, vas-tu voir Anne?

Une grande respiration et le malaise disparaît.

Intérieurement, je la bénis de sa discrétion. C'est toujours agréable de déjeuner avec elle.

Noël est un sujet sans risque. Nous parlons de tourtières, *mincemeat*, gâteaux aux fruits et de toutes les bonnes choses que nous préparons longtemps à l'avance.

J'imagine la grande table parée pour les fêtes, l'odeur des épices, du sapin et des bougies, les cris de joie des enfants... Mais le cœur n'y est pas. Curieusement, je me vois acteur dans cette scène. Mon corps est dans la pièce décorée, mais mon âme est au loin... Auprès de Sara?

Mon amie continue à bavarder gaiement. Je fais semblant.

En revenant du déjeuner, forte de mes bonnes résolutions, je m'arrête à la bibliothèque pour faire provision de livres et de disques compacts. Je vais enfin pouvoir, maintenant que les enfants sont partis, me laisser aller à écouter de la musique classique en mettant le volume aussi fort que je le désire, sans avoir droit à la réflexion : «Qu'est-ce que tu es ringarde, Maman!» ou la version numéro deux : «C'est d'un vieux jeu ce truc-là, et en plus c'est à pleurer!»

J'avais expliqué un jour à mes filles, lorsqu'elles étaient plus jeunes, qu'il n'y avait pas de télévision dans mon enfance et elles m'avaient répondu avec un bel ensemble :

«Tu portais des robes à crinoline?»

Cela donne tout de même un coup.

Je vais enfin pouvoir lire *Un garçon convenable* de Vikram Seth. Le titre est de circonstance! Une «brique» de douze cents pages intéressantes et bien écrites est idéale pour les insomnies. L'action se passe en Inde. Autre pays, autres mœurs, les relations mère-fille sont universelles.

J'ai hâte de me replonger, par le biais de ce livre, dans l'ambiance de ce pays dont je garde un souvenir prenant. La poussière omniprésente, la cacophonie de la rue, la beauté des sites, les couleurs plus brillantes qu'ailleurs et l'ombre plus profonde... Agitée et immuable, bruyante et sereine, violente et pacifique, l'Inde dans mon souvenir n'est que contrastes.

Il faudrait plusieurs vies à l'étranger que je suis pour appréhender la complexité de ce continent. Je voudrais retourner en Inde.

Cela fait cinq longues semaines que Sara a quitté la maison et je suis toujours sans nouvelles. Que se passe-t-il ?

J'appelle Léo.

– Elle va bien maintenant.

Je ressens un coup de poing à l'estomac.

– Maintenant ! Elle a été malade ?

– Elle a fait un séjour à l'hôpital, mais tout est rentré dans l'ordre.

– Qu'est-ce qu'elle a eu ?

– Je ne suis pas au courant, mais elle est guérie maintenant.

– Je veux savoir. Je suis sa mère, tout de même ! Dites-lui de m'appeler. Qu'elle appelle à frais virés. Je veux lui parler.

– Je comprends. Si je la vois, je lui fais le message. Que Dieu vous bénisse.

Et il raccroche. Il n'apprécie pas de servir de messager.

Ma petite poulette, malade ! Au moins, elle a été soignée à l'hôpital. Mais pourquoi personne ne m'a prévenue ? Pourquoi cette bécasse ne téléphone pas ? Il y a des téléphones partout et elle connaît le système d'appel à frais virés qui ne lui coûte pas un sou. N'est-elle pas capable de décrocher le combiné ?

Ne pas savoir ce qui se passe me tue. Sa santé, c'est crucial.

Je rappelle Léo. Tant pis, s'il trouve que j'exagère.

– Je viendrai voir ma fille dimanche.

– Madame, ne vous affolez pas, elle va bien. Elle a dû attraper un virus. Nous avons eu beaucoup de grippes. Elle va bien, elle est heureuse, vous dis-je… J'ai un large ministère et je suis aussi père de quatre filles et je peux vous dire que vous devriez laisser ce jeune couple en paix. Ils sont en train de construire leur nid et cela demande des efforts de part et d'autre… et de la réflexion aussi… Votre fille est très jeune et Tim est plus âgé. C'est un moment très important pour eux deux. Il faut respecter leur décision. Ils sont très amoureux pour l'instant, mais ne vous faites pas de soucis, ils vont sûrement aller vous voir bientôt.

Tout ce qu'il me dit est vrai, mais d'avoir appris que ma fille a été à l'hôpital, c'est de trop. Et puis, comment se fait-il qu'elle ait été admise juste pour une grippe, alors que les hôpitaux sont surchargés ?

– Je viendrai voir ma fille dimanche. Je ne resterai pas longtemps. Je ne peux pas changer ma date car je pars ensuite dans les Maritimes chez mon autre fille. Je veux embrasser Sara avant Noël.

Silence.

– Ils commencent demain une retraite fermée de préparation au mariage.

– Où vont-ils ?

– Je vais demander au prêtre responsable des retraites.

– Je vous remercie, mais dites à Sara de m'appeler. C'est urgent. Si je n'ai pas de ses nouvelles d'ici quarante-huit heures, j'entreprendrai les démarches nécessaires auprès des autorités.

Je bluffe car je sais que les autorités ne lèveront pas le petit doigt. J'espère que lui ne le sait pas.

Enfin, après quatre jours d'attente, Sara a appelé. Je n'ai pas entendu la sonnerie du téléphone : il était deux heures et demie du matin. Elle a laissé un message sur mon répondeur :

« Salut, Maman. Je suis désolée, je n'ai pas pensé que tu t'inquiéterais. Je vais bien, j'ai eu la grippe, mais ça va maintenant. Ne t'inquiète pas, je fais très attention à moi et à ma diète. J'ai tout ce qu'il faut, mais j'aimerais bien que tu m'envoies mes vêtements. Peux-tu en faire un paquet et l'adresser chez le père Ange parce que je pars pour une retraite ? On va dans un chalet à la campagne. Des amis m'ont prêté des chandails et un manteau chaud, mais n'oublie pas mes sous-vêtements. J'ai bien réfléchi : je vais épouser un pasteur que je connais depuis longtemps. Ça fait un an que je voulais vivre cette vie-là. Je suis heureuse, Maman. Ne t'inquiète pas, je te rappellerai. »

Je suis si heureuse de l'avoir entendue. Elle va bien, dit-elle. J'essaye de savoir par la compagnie de téléphone d'où vient l'appel. « C'est un interurbain », me répond-on. J'aurais aimé lui parler... Quelle idée d'appeler à cette heure-là !

Je prépare le colis de vêtements. J'essaye de faire un tri afin de lui envoyer ce qui est le plus approprié pour le milieu religieux où elle se trouve actuellement : du bleu marine et ce qui me semble « style couvent ». Je mets de côté tous les vêtements « sexy », les jupes « au ras du sentiment » et les chandails clownesques que, provocante, elle portait avec impudeur.

Que pourrais-je envoyer de plus personnel ? Comment déguiser un message d'amour sans tomber dans la niaiserie ? Je n'ai pas envie qu'elle se fasse traiter de bébé par ses camarades. Quand elle quittait la maison autrefois, elle emportait toujours avec elle un petit lapin en peluche : « Monsieur Rabbit me protège », disait-elle. Je le glisse dans la poche intérieure de son anorak en duvet où il se fond dans l'épaisseur de la plume. Ni vu, ni connu.

Le paquet posté, j'appelle Jo.

– Je suis content pour vous que Sara ait appelé. C'est une très bonne chose. Continuez à garder le contact. Envoyez-lui des lettres. Si vous avez l'occasion de reparler à un membre de la congrégation, insistez pour parler à votre fille en personne. Et, bien sûr, même si son attitude ou ses phrases vous surprennent, ne faites aucune remarque.

– Ça a été un vrai bonheur d'entendre sa voix et de savoir qu'elle allait bien.

– Vous êtes arrivée à remonter la filière. Bravo ! Vous vous êtes bien débrouillée.

– Jo... Je n'arrive pas à mettre le doigt dessus, mais je sens qu'il y a quelque chose de bizarre dans tout ça.

– Il n'y a pas grand-chose que vous puissiez faire. Elle est majeure, elle a appelé pour vous dire qu'elle était en bonne santé et heureuse, elle ne vous a jamais indiqué qu'elle avait des difficultés ou qu'elle avait besoin d'aide. Vous ne pouvez rien faire de plus.

De mon temps – c'est vrai que ça fait ringard – tout le monde était catholique, protestant, juif ou athée. Toutes ces nouvelles religions dont on entend parler n'existaient pas ou alors si peu qu'on n'en parlait pas dans les journaux ni à la télévision.

Pratiquer est devenu aujourd'hui un véritable imbroglio. S'agit-il des mêmes religions mises à la sauce moderne pour attirer une population qui a déserté églises, temples et synagogues ?

Lorsque j'étais pensionnaire au couvent, j'ai dû endurer à jeun des sermons sans fin ; j'en ai gardé pour toute la vie une propension à m'endormir pendant les services religieux. Si ça « swingue » plus dans les églises, tant mieux !

Je vais tout de même me renseigner.

Dans les entrailles de l'église

Un papier jaune punaisé sur le panneau d'affichage du supermarché attire mon attention : «Croyez et Dieu vous aidera.» C'est tout à fait de circonstance pour moi.

Le texte est typographié sur un papier glacé de qualité : cela fait sérieux et professionnel.

«Venez nombreux à l'église de la rue de la Trinité partager la foi et l'espérance. Les réunions de la Foi Nouvelle sont ouvertes à tous. Nous nous réunissons tous les samedis à sept heures dans le sous-sol de l'église. Café et beignes.»

Samedi soir, j'arrive en avance et gare la voiture à proximité de l'église. Curieuse mais prudente, je veux voir la tête des gens qui participent à cette réunion. S'il fallait les décrire, je dirais : classe moyenne, âge moyen, plus de femmes que d'hommes, des habitués (ils se dirigent directement vers la porte de côté); le genre de personnes que vous croisez dans les supermarchés, en semaine, sans vraiment les remarquer.

Allons-y!

La salle au sous-sol est pleine; les personnes qui visiblement se connaissent bavardent à tue-tête. On se croirait dans une volière tant l'acoustique est mauvaise. Discrètement, je me glisse dans le fond. J'ai l'impression de me retrouver sur les bancs de l'école un jour où je priais pour ne pas être interrogée. Personne ne fait attention à moi. L'église sent la poussière du vieux bois et le renfermé.

La scène est éclairée par des projecteurs; le lieu, l'ambiance font répétition de fin d'année. Je perçois un air de luth, sans doute une pièce ancienne, car chaque nouvelle phrase musicale naît de la précédente. C'est joli et serait agréable si ces personnes voulaient bien se taire.

À cause du manque d'air, de la chaleur excessive, des odeurs des voisins, du milieu ouaté, j'ai l'impression d'être en avion et je commence à m'engourdir. Ce n'est pas la voix d'une hôtesse qui me ramène sur terre, mais mes voisins qui applaudissent. Perdue dans mes rêveries, j'ai dû en manquer une partie, car tout le monde est assis maintenant.

Un homme sans signe distinctif monte sur scène. Je me penche vers ma voisine :

– Qui est-ce?

– Ce n'est pas lui, c'est son assistant.

Encore un laïus qui ne vaut pas mieux que les sermons de mon enfance. C'est épouvantablement ennuyeux. Ce prédicateur (s'il en est un, il restera longtemps assistant) accentue tous les mots : on dirait un métronome humain. Le thème est facile à comprendre : «Ayez la foi et Dieu vous aidera», mais je suis perdue dans les dédales de l'argumentation. En plus, je n'en vois pas la fin.

Bien assise au chaud dans le fond, je reste, plus par lassitude que par intérêt.

Le métronome articulé accélère enfin la cadence et, sur scène, apparaissent douze nymphes habillées de voile rose qui oscillent au rythme de la musique. Il ne manque plus que la flûte de Pan!

Il faudrait cependant faire preuve de beaucoup d'imagination car les nymphes en question sont de grassouillettes personnes dans la quarantaine. Seule une jeune fille mince à l'air éthéré et aux longs cheveux blonds défaits méritérait l'Olympe.

Nous sommes entraînés par la cadence rythmique. Les professionnels du spectacle diraient que «la salle est chauffée».

Plusieurs personnes sont debout et se balancent en claquant des mains ou dansent sur place. Les gens arborent un air heureux.

Une nymphe à la poitrine généreuse entonne un «gospel» en solo. C'est prenant. De sa voix profonde, elle captive l'assistance qui retient tout d'abord son souffle, puis se laisse entraîner dans les profondeurs du chant mystique. C'est splendide. Je suis étonnée de trouver cette qualité de performance dans une réunion bien banale, au fin fond d'un sous-sol d'église. Le chœur l'accompagne en sourdine et oscille au rythme de la phrase musicale. L'assistance suit à l'unisson. On ressent des frémissements dans les pieds; plusieurs personnes sont debout et se laissent porter par l'harmonie du chant. Il fait chaud dans la salle; je retire mon manteau.

Le prédicateur attendu fait son apparition. Il est grand, mince, et vêtu d'un costume foncé. La portée et l'intensité de la voix qui sort de ce corps malingre me surprennent. On sent l'homme de conviction. Il brûle.

Son discours est agressif et violent : il est ulcéré par ce qu'il considère comme une attaque personnelle.

«Investi par Dieu de son pouvoir tout-puissant, je vous le dis :

Celui qui m'attaque, attaque Dieu;
Celui qui me blesse, blesse Dieu;
Quiconque médit de moi, c'est à Dieu qu'il s'adresse.
Je vous montre du doigt, gens de peu de foi;
Comment osez-vous? Comment pouvez-vous?
Craignez Dieu! Et repentez-vous.

Ou Dieu dans sa puissance vous désignera et vous serez puni et vos enfants seront maudits et les enfants de vos enfants seront écartés à tout jamais de la lumière de la vérité.

Écoutez-moi, vous ici présents.

Le Seigneur a dit : “Que le monde soit sauvé”;

Le Seigneur a dit : “Que le corps soit guéri”;

Le Seigneur a dit : “Qu’il en soit fait selon ma volonté.”

Répétez après moi : “Le Seigneur est mon Dieu.”

Les fidèles répètent docilement.

«Répétez après moi : “Le Saint-Esprit est sa puissance.”»

Les fidèles répètent docilement.

Les répons continuent encore et encore. La voix du prédicateur est de plus en plus forte. Sur un rythme haché, les répons se succèdent. L’assistance subjuguée puise sa nourriture au sein de cette séance. La lumière est tamisée. C’est une sorte de mise en condition. Il fait chaud, le bruit est assourdissant, et la vision de tous ces gens hypnotisés par sa voix me met mal à l’aise.

Vaseuse, je fais un effort pour récupérer mon manteau et me lever. Personne ne fait attention à moi. Arrivée à la porte, je vois l’assistant avec une corbeille. Il me jette un coup d’œil interrogatif. Je dépose un billet et passe. J’avale une grande bouffée d’air frais.

«Ce n’est pas possible ma fille, tu deviens complètement parano. Qu’est-ce qui t’a pris? Il ne s’est rien passé d’extraordinaire.» Je suis en train de me gourmander moi-même en revenant à la maison. Je ne peux pas expliquer clairement pourquoi je me suis sentie mal. Je ressens la même chose lorsque je suis dans le fauteuil du dentiste! Je ris de mes faiblesses.

Le samedi d’après, j’y retourne. Je veux assister à la suite de la séance. Il ne peut rien m’arriver de fâcheux. Nous vivons dans un pays civilisé; la réunion est affichée dans des lieux publics; ça a lieu dans une église; on peut entrer et sortir comme on veut; les participants ont l'air de monsieur et madame Tout-le-Monde.

En arrivant, certaines personnes semblent me reconnaître et me saluent. Moi, je ne reconnais personne, mais réponds poliment à leur sourire.

La réunion se déroule exactement de la même façon que la dernière fois, à part les «nymphes» qui sont habillées différemment.

Pas question de somnoler ou de me sentir mal cette fois-ci. J'ai pris deux tasses de café bien tassé avant de venir et j'ai les yeux grands ouverts.

La partie musicale est toujours aussi belle et prenante. C'est sympathique. Les gens ont l'air heureux.

J'aime moins le prêche. Le sujet, cette fois-ci, est : «Ne touchez pas à ceux que J'ai bénis.»

De nouveau, le prédicateur parle de lui-même. Il nous dit qu'il est l'objet de persécutions et ça le rend furieux.

«Ils me font la vie dure parce que je suis un homme de Dieu.»

Qui sont ces «ils»? Des athées? Des suppôts du diable? A-t-il des problèmes avec la police, les impôts?

– De qui est-il question? je chuchote à ma voisine.

– Notre pasteur a des problèmes avec des gens qui n'ont pas la foi.

– Il y en a beaucoup.

Elle me jette un regard furibond et recule immédiatement. Suis-je pestiférée?

– Désolée.

– Ici, nous croyons à Dieu. Ceux qui ne croient pas seront punis. Nous, nous respectons la parole de notre pasteur. Il est merveilleux, il sait. Il fait des miracles!

Sur scène, le prédicateur s'échauffe. C'est un fanatique : ses paroles et le ton employé sont déplacés, à mes yeux, pour un homme de Dieu.

Crachant les mots, il réitère ses menaces :

«La mort! La mort pour ceux qui nous persécutent! Je parle au nom du Seigneur. Le Seigneur est dans mon corps et dans mon esprit. Le Seigneur m'a investi de son pouvoir suprême. En Son nom, mes paroles peuvent tuer ou guérir.»

Son discours me donne la chair de poule.

Où est le Dieu bon et généreux de mon enfance? Nous avions affaire à toutes sortes de curés, certains étaient de bons grands-pères pleins de conseils et d'expérience, d'autres, souvent parmi les plus jeunes, étaient sévères, mais ni les uns ni les autres n'auraient usurpé la parole de Dieu de cette manière. Je pense à ma fille…

Perdue dans mes souvenirs, je ne me suis pas rendu compte que l'atmosphère s'était transformée aussi rapidement autour de moi. Quelqu'un derrière moi heurte ma chaise. La parole, le rythme, les croyances ont embrasé l'assemblée : les gens sont debout et se balancent d'avant en arrière avec des mouvements violents de la tête.

Cela me rappelle un documentaire que j'ai vu récemment : il s'agissait d'un groupe qui utilisait des mouvements de tête identiques pour perdre connaissance et trouver l'extase.

L'expression «la tête me tourne» prend ici toute sa signification.

C'est incroyable! Quels excités!

Sur scène, le prédicateur, avec ses grands bras étendus, fait figure d'oiseau de proie. C'est théâtral. Sa voix est inaudible. Ses ailes s'élèvent et s'abaissent au rythme des oscillations de la foule. Tire-t-il sur des fils invisibles? L'assemblée est-elle composée de marionnettes? Il faut l'avoir vu pour le croire.

Une trentaine de participants se sont avancés jusqu'au pied de la scène. Ils attendent, immobiles. Doucement, comme s'il ne voulait pas rompre l'enchantement, le prédicateur s'avance. La foule s'est tue et suit les mouvements du «grand prêtre». (C'est le nom qui me vient à l'esprit.)

Il pose à haute voix la question suivante :

«Voulez-vous recevoir Jésus? Voulez-vous recevoir le Saint-Esprit? Voulez-vous être guéri? «

Il leur donne alors une petite tape sur la tête en disant :

«Esprit de la confusion, au nom de Jésus-Christ, je t'ordonne de reculer. Toi qui crois à Dieu, sois guéri».

Les gens qu'il a touchés tremblent, certains s'écroulent sur le sol en se tortillant, d'autres crient comme s'ils étaient possédés du démon. Ça sent le vomi.

Ma voisine, qui est restée à côté de moi, m'explique :

«C'est l'esprit du diable qui sort».

C'est de la folie collective : les gens crient, pleurent, se roulent par terre; d'autres sont en transes, les yeux révulsés.

Ce n'est pas possible, ils sont possédés!

Par le diable ou par le prédicateur?

Comment s'y prend-il? Je ne sais pas, mais je n'ai pas été victime d'hallucinations… L'odeur de vomi sur mon manteau est bien réelle.

Cela fait peur. Je ne reviendrai pas.

Les vacances de Noël chez Anne

Anne est venue me chercher à l'aéroport. Elle est radieuse et toute ronde.

– Maman, je suis si contente que tu aies pu venir pour Noël. Nous t'attendions impatiemment. Je t'ai installée dans la chambre du bébé. Tu vas avoir la paix et tu vas pouvoir te reposer.

– J'ai une si méchante tête que ça? C'est toi qui devrais avoir l'air chose, mais tu es en pleine forme!

– Oui, tu es gentille, merci, ça va bien. Non, tu n'as pas une tête si catastrophique que ça! Tu n'as pas l'air d'être dans l'esprit de Noël, c'est tout. Ma pauvre petite maman, elle t'a donné bien du souci, cette chipie! Je vais prendre bien soin de toi.

Je souris. Les rôles sont renversés et ce n'est pas désagréable.

Il faut que je fasse meilleure figure. Anne n'y est pour rien si sa sœur est partie en folie et a jeté son bonnet par-dessus les moulins.

Les jumelles étaient inséparables lorsqu'elles étaient petites, ce qui n'empêchait pas une certaine rivalité. Elles étaient à l'écoute de la moindre faveur, supposée ou réelle, que je pouvais accorder à l'une ou à l'autre. Elles n'étaient pas vraiment jalouses, mais pas loin, même si, face à l'extérieur, elles faisaient front commun.

Lorsque l'on a découvert le diabète de Sara, à douze ans, l'entente entre les sœurs a été plus délicate. Le régime particulier, les activités différentes, les soins, l'inquiétude de maman, l'attention quotidienne, tout cela a contribué à les séparer. Je pense qu'Anne en a souffert, même si elle s'est tue. Lorsqu'elles furent devenues adultes, l'équilibre s'est rétabli et le lien créé dans le ventre a ressurgi.

Il est curieux de remarquer que, dans toutes les familles nombreuses, on s'occupe plus de l'enfant qui cause des soucis. C'est injuste pour ceux qui ne posent pas de problèmes !

Anne est bien installée. Je suis heureusement surprise car, comme de nombreux jeunes couples qui vivent de la mer, ils ne sont pas riches. Anne est une fille de ressources et elle s'est magnifiquement débrouillée : l'appartement est coquet, chaleureux et impeccablement tenu.

Anne s'épanouit avec maison, famille et enfants; sa sœur Sara était plus fantasque. Dans la famille, elle était surnommée «l'artiste» ou «l'intellectuelle».

«C'est un bas-bleu, cette petite, tu ne la marieras jamais, disait la grand-mère.

– Mais, Mamie, répondait la petite, on ne se marie plus, et en tout cas, ce ne sont pas les parents qui choisissent.

– Insolente comme tu es, personne ne voudra de toi et tu seras obligée de rester avec ta vieille mamie. »

Aurais-je pu imaginer un jour que ces prises de bec me manqueraient ?

J'ai devant moi dix jours de vacances dans cette région qui, l'été, est envahie par des hordes de touristes venus chercher les grands espaces, la mer, les dunes. Je pense qu'ils auraient du mal à imaginer le paysage en hiver. Plus de sable doré, plus de mer bleue, plus de terre rouge, le paysage est uniformément blanc. C'est une autre forme de beauté, d'une pureté froide.

Quand Anne me laisse quelque liberté, je pars faire de longues marches au bord de la mer, seule avec mes pensées dans ce paysage dénudé et froid, couleur de deuil au Japon. Le corps arqué contre le vent et la figure balayée par les embruns glacés, je pense à Sara.

Où est-elle? Va-t-elle bien?

La mer est frangée de glace blanc sale.

A-t-elle chaud? Prend-elle bien soin d'elle?

Alors qu'Anne, la famille, les amis préparent joyeusement les fêtes et malgré des efforts pour me mettre à l'unisson, au fond de moi-même, j'enterre Sara.

Sara ma jolie, Sara la rieuse, que de joies et de peine, que de souvenirs…

«Faites attention aux grands froids et à la chaleur excessive», avaient dit les médecins.

Il est vrai que Sara avait une perception curieuse de la température. Elle ne sentait pas vraiment le froid et nous nous acharnions, sa sœur ou moi, à lui seriner : «N'oublie pas de mettre un manteau chaud, s'il te plaît. Garde tes moufles et ton bonnet et mets ton écharpe sur la bouche.»

Lorsqu'il faisait chaud, c'était une toute autre histoire. Avec la chaleur, l'effet de l'injection d'insuline était plus rapide qu'en temps normal.

Son sucre dans le sang devenait fou… et nous aussi.

Dans la journée elle faisait des hypoglycémies à répétition et se bourrait de sucre pour ne pas s'évanouir.

La nuit, c'était des hyperglycémies à cause de l'excès de sucre ingurgité la veille et aussi à cause de la déshydratation.

«N'oublie pas de boire, Sara.

– L'eau est dégueulasse à l'école Maman, c'est imbuvable.

– Emporte une bouteille d'eau.

– Tu as vu mon cartable? J'aurai peut-être assez bu, mais je mourrai sous le poids!»

Le temps d'ajuster les doses et le climat avait changé.

Et les débuts de notre aventure du diabète!

Après dix jours, l'hôpital m'avait passé la main et je me retrouvais seule, avec pour tout viatique, conseils et documents.

La première année, je me suis levée toutes les nuits pour vérifier si elle n'était pas prise de tremblements. Une petite fille de douze ans dort profondément! J'avais des directives et une piqûre d'urgence à faire en cas de coma diabétique, mais je priais pour que ça n'arrive pas.

Non, elle respirait calmement et ne tremblait pas : je pouvais me recoucher.

Au bout de quelque temps, elle a trouvé une astuce pour se réveiller au moment de l'hypoglycémie de deux heures du matin.

«Quand je rêve de gâteau au chocolat, de biscuits et d'une montagne de bonbons, je sais qu'il faut que je me réveille parce que ça veut dire que mon sucre est bas.»

J'entendais ses pas furtifs dans la nuit. Elle ne voulait pas allumer pour ne pas réveiller toute la famille.

Elle va se casser la figure dans l'escalier!... Non, ça va... Elle est dans la cuisine, elle ouvre la porte du réfrigérateur... (Reste-t-il du jus d'orange?) La porte du placard qui couine... (Il faut que je mette de l'huile sur la charnière)... Un bruit de verre... Un froissement de papier... Elle grignote un petit-beurre... Ses pas... Elle va se coucher... Le grincement du sommier... Ouf! Tout va bien. L'entracte de la nuit est fini.

Se rendormir maintenant. Je serai crevée demain, elle aussi. J'aimerais la laisser dormir un peu plus, mais il y a la piqûre du matin et le petit déjeuner que l'on ne doit pas trop décaler.

Et ces souvenirs de camping ! On dormait avec provisions de nuit et glacière dans la tente.

«Pourvu qu'il n'y ait pas d'ours !» me répétait avec raison sa sœur, peu rassurée.

Et la glacière qui était l'objet constant de l'attention de Sara ! Elle vérifiait dix fois par jour l'état de son insuline et la fonte des glaçons. Ça en devenait agaçant, mais nous endurions : cela avait si peu d'importance... On faisait du camping, comme tout le monde.

Et les longs trajets en voiture lorsque nous allions dans le Sud.

Une sortie d'autoroute : «On s'arrête, on va manger ?» Non, ce n'était jamais le bon moment.

Si c'était trop tôt, elle n'avait pas faim. Trop tard ? Je n'avais plus qu'à foncer avec une jeune personne livide, nerveuse et nauséeuse, qui répétait, têtue comme pas une :

«Ça va, Maman, je peux attendre.

– Prends un biscuit, on a encore vingt kilomètres à faire avant la prochaine sortie.

– Non, ça va me couper l'appétit. Ça va aller, Maman. Tais-toi et roule !»

Et l'entendre vomir lorsque son taux de sucre était trop élevé et la voir trembler comme si elle avait une crise de haut-mal lorsqu'il était trop bas...

Que de souvenirs ! Que de soins et d'attention, que de précautions vécues au quotidien pour vivre au mieux – comme tout le monde – avec son diabète.

Nous étions toutes les trois embarquées dans le même bateau, heureuses de vivre, heureuses que l'insuline existe.

«Tu t'imagines, Maman, si c'était arrivé à Mamie quand elle était petite, elle serait morte!»

Elle oubliait qu'elle ne serait pas née, alors.

La grand-mère en question était l'aînée d'une famille de seize enfants. Elle avait vu disparaître douze jeunes frères et sœurs. Il n'y avait pas d'antibiotiques, pas d'insuline, et le médecin coûtait cher et habitait loin.

Lorsque l'on est très jeune, la mort, c'est quelque chose qui est loin, très loin, qui ne vous concerne presque pas.

Pour les jeunes, la mort est une abstraction ou alors le résultat d'un accident romantique.

Aujourd'hui, je sais que ceux que l'on chérit disparaissent et meurent.

J'avais seize ans lorsque j'ai fait connaissance avec la mort. Un ami d'enfance s'était tué en voiture.

Ma réaction avait été l'étonnement puis la tristesse : «Ça pouvait donc nous arriver à nous aussi, les jeunes?» Le fardeau du deuil m'a accompagnée pendant quelque temps, mais l'amour, l'excitation de la vie, la curiosité ont très vite pris le dessus sur cet état morose. Il y avait encore tant à découvrir, tellement de choses intéressantes à faire. Ce n'était pas de l'indifférence, la vie m'appelait, c'est tout.

Les jeunes ont de l'appétit pour le bonheur. Aujourd'hui, je les envie.

Je ne suis plus immortelle, car je sais.

Finie la légèreté, finie la renaissance. Chaque pas est plus lourd, chaque événement triste est plus pesant. À chaque fois qu'un être cher disparaît, c'est un peu de soi-même qui est enterré avec lui.

Ah! l'impunité de la jeunesse, les réserves de forces inépuisables, l'enthousiasme..., qu'êtes-vous devenus?

Avec l'âge, je m'inquiète plus facilement, j'ai plus de mal à dormir et je me réveille avec des douleurs. Mon corps me trahit. Les grippes n'en finissent plus et même les tâches quotidiennes me prennent plus de temps et d'efforts.

Je hais vieillir.

Simon a une blague qu'il ressert régulièrement en société lorsque les doléances sur la vieillesse apparaissent dans la conversation. Je le soupçonne de ne pas vouloir aborder ouvertement ce sujet qui le touche comme tout un chacun.

«Quand l'homme vieillit, il lui faut toute la nuit pour faire ce qu'il faisait autrefois toute la nuit.»

La crudité du propos fait fuir. Personne n'a envie de claironner les défaillances de ce qui autrefois était sujet de vantardise.

Ah! Simon, tu es complexe, mais parfois si amusant; j'ai hâte de te revoir.

Ma maison me manque aussi.

«Toute bonne chose a une fin», disait la grand-mère lorsqu'elle voulait filer ailleurs.

J'ai été heureuse de venir chez Anne. Noël est un temps douloureux pour les personnes seules. L'affection d'un être cher est la meilleure cure à la tristesse.

J'ai retrouvé un peu de sérénité et de détachement.

Merci, Anne.

Les mois d'hiver et le printemps

Une pile de courrier m'attendait à mon retour : factures, vœux d'amis au loin et une lettre de Sara. Mon cœur bat la chamade en voyant sa petite écriture. Je la lis lentement : elle m'annonce qu'elle s'est mariée le 28 décembre et qu'elle est très heureuse.

Oh ! ma chérie ! Pourquoi me mets-tu devant un fait accompli alors que tu ne sais même pas ce que nous en pensons ? C'est un bras de fer qui ne te ressemble pas. Enfin, si tu es heureuse…

Je repense aux bavardages des temps heureux : « Lorsque je me marierai, je veux… » Envolés les heureux préparatifs et la cérémonie, envolée la robe de mariée, volée la joie de la famille…

Je me reprends vite. Essayons de voir les choses positivement. Elle a écrit. C'est le moment de lui renvoyer la balle et d'essayer de renforcer le lien ténu qui vient de naître.

Je lui réponds immédiatement et l'invite avec Tim pour le week-end en quinze, précisant que « je serai très heureuse de faire connaissance avec son mari et que je me réjouis de leur bonheur ».

Pas question de les gourmander sur le peu de considération dont ils ont fait preuve : la situation est bien trop délicate.

Les jours passent, pas de réponse. Ma lettre a peut-être été perdue. À moins qu'ils n'aient pas eu les moyens et qu'ils n'aient pas osé le dire. J'envoie une nouvelle invitation avec l'argent du bus et une photo de la maison.

Février. Un matin en descendant, je vois clignoter le répondeur ! Oui, c'est elle. Elle a appelé à deux heures du matin d'Otterton pour dire qu'ils seront là samedi.

Je n'ai pas de temps à perdre. Un café vite avalé et me voilà pleine d'énergie. Préparer leur chambre, nettoyer la maison, aller faire des courses, remettre tout en ordre.

«Elle vient ! Elle vient ! Samedi, je vais la serrer dans mes bras.»

Lui choisir ce qu'elle aime... C'est la fête !... Acheter des fleurs... Elles sont hors de prix en hiver; tant pis pour le budget ! Je veux la gâter et leur montrer qu'ils sont les bienvenus.

Samedi, je suis fin prête. Les dernières retouches et voilà !

Dois-je aller les chercher au bus ? Ils auraient dû préciser l'heure d'arrivée. Je n'ai plus qu'à les attendre ici.

Je fais les cent pas, je les attends. Ne sachant pas à quelle heure ils seront là, je ne veux rien entreprendre. Je vais quarante fois à la fenêtre, épiant les passants dans la rue.

Et si je n'avais pas entendu le téléphone ? Non, il n'y a pas de message. Je n'ai plus qu'à attendre.

À midi, ils ne sont toujours pas arrivés. Ils restent la fin de semaine, heureusement. J'espère tout de même qu'ils vont arriver sans tarder.

Il faut bien compter deux heures et demie de trajet. Ils devraient être là d'un instant à l'autre.

Y a-t-il des bus toute la journée?

J'appelle la compagnie de transport. Le samedi, il y a un bus qui part d'Otterton toutes les deux heures, de sept heures du matin à sept heures du soir.

C'est normal qu'ils n'aient pas été là pour le lunch. Je voudrais que les minutes passent plus vite.

Cinq heures. Ils ne sont pas là, ils n'ont pas prévenu. Je suis vidée et déçue, tellement déçue.

J'ai les nerfs qui craquent. Après une bonne crise de larmes, j'essaye de me réconforter : ils ont pu avoir un empêchement de dernière minute... C'est curieux qu'ils n'aient pas prévenu... Je vais recevoir une lettre... Je n'y crois pas trop.

Les jours passent. Pas de lettre, pas d'explication : ils sont muets.

J'envoie une carte les invitant pour une autre fin de semaine. Je ne reçois aucune réponse.

Le silence.

Je revois Jo de temps en temps. Nous nous promenons sur les chemins enneigés. Seuls le crissement de nos pas sur la croûte de neige, le craquement sec d'une branche et le sifflement du vent dans les arbres brisent le silence. Au retour, Jo allume un feu. Nous prenons un chocolat chaud autour de la cheminée. Le chat vient se nicher sur mes genoux. En général, nous parlons peu. Je regarde le feu. Jo pense. Je ne suis plus seule. Ces après-midis sont un entracte dans ma vie quotidienne.

Mars est là. Ça suffit! Assez de finasseries. Je vais à Otterton. Je sais où ils habitent. Cela fait quatre mois que nous jouons à cache-cache.

Je me dirige vers le bas de la ville, près de la rivière. J'ai laissé derrière moi les beaux quartiers et je m'enfonce progressivement dans la déchéance urbaine. Bâtiments à l'abandon, appartements délabrés à louer, terrains de stationnement encombrés de carcasses de voiture, espaces vacants « À construire », chiens squelettiques qui se battent dans les terrains vagues, plus je vais, pire c'est. Sale coin !

Simon le décrirait comme « un endroit éprouvant où même les chiens errants deviennent dépressifs ».

Comment ma fille peut-elle vivre là ?

L'immeuble se fond dans la misère du coin. La porte d'entrée est cassée au niveau du pêne. Passé l'entrée, je suis saisie par une odeur nauséabonde de latrines. C'est dégoûtant ! Les murs sont couverts de graffiti, les boîtes aux lettres ont de gros cadenas. C'est un mauvais rêve !

Ma fille vit ici. Est-ce temporaire ? Ont-ils fait vœu de pauvreté ? Est-elle heureuse ?

La porte de leur appartement est fermée par deux gros verrous. Je frappe. Pas de réponse.

Il est midi. Sont-ils sortis ? Ont-ils déménagé ? Je n'ai pas regardé si leur boîte aux lettres était pleine.

Je frappe plus fort. J'entends une personne qui rampe vers la porte. Un chien ?

Je frappe de nouveau. J'entends des pas. La personne ne parle pas.

Ce n'est pas rassurant. Je suis toute seule au fin fond de cet immeuble pourri et personne ne sait que je suis venue ici.

Je crie : « Sara, Sara, c'est moi. Ouvre la porte ! »

J'entends remuer derrière la porte.

« Je suis la mère de Sara. Ouvrez, s'il vous plaît ! »

Une voix mâle : « C'est ta mère » et la porte s'ouvre.

Devant moi, à contre-jour, se tient une silhouette sombre et épaisse.

– Entrez.

Il est grand, un mètre quatre-vingt-dix, et gras, la figure bouffie. Il a les yeux bleu clair, le crâne rasé, la nuque épaisse et un large sourire.

– Entrez, maman de Sara.

La voix est chaleureuse. Je respire. Il m'entoure de ses bras.

L'appartement est simplement meublé, mais très propre.

Où est ma fille? Elle arrive, vêtue d'un long T-shirt, et me serre dans ses bras.

C'est bon!

– Je reviens, je vais m'habiller.

– Asseyez-vous. Voulez-vous un café? Nous sommes en train de prendre le petit déjeuner.

C'est donc ça l'explication des heures indues des appels téléphoniques. Ils se lèvent tard parce qu'ils se couchent tard.

Je regarde discrètement autour de moi. J'aperçois une énorme chaîne stéréo dans l'autre pièce.

Sur la table, le petit déjeuner est servi. Il y a une assiette avec des œufs, des rôties et un bol de café; en face, il y a une orange à moitié mangée.

Tim a suivi mon regard :

– Sara aime les oranges; elle en mange une chaque matin.

Sara est toujours en train de s'habiller. Tim fait la conversation. De sa voix chaleureuse, il me saoule de paroles. Il doit être aussi nerveux que moi! Il s'excuse de ne pas m'avoir prévenue pour le week-end raté.

– Mon devoir d'évangéliste m'appelait... Je ne fais pas toujours ce que je veux.

– Que faites-vous exactement? En quoi ça consiste?

Il répond à mes questions clairement.

Comme j'insiste car je ne comprends pas très bien à quelle religion il appartient, il me montre son diplôme de ministre de la religion.

Ça ne me dit rien.

– Vous connaissez Untel?

Il me donne le nom d'un évangéliste qui prêche dans toute l'Amérique du Nord et que l'on voit continuellement à la télévision.

– Oui, évidemment!

– C'est la même chose. Nous suivons sa doctrine. Ma mère le fait depuis quinze ans. Elle enseigne la Bible aux enfants dans le village où elle habite.

– Vous êtes depuis longtemps à Otterton?

– Oui, depuis dix ans.

– Dans cet appartement?

– Oui, il n'est pas cher, mais maintenant que nous sommes mariés, nous en cherchons un plus grand et situé à un étage plus bas : trois étages à monter avec les provisions, c'est trop pour Sara. L'escalier est raide, ma mère s'en plaint toujours quand elle vient nous voir.

Sara nous a rejoints. Elle s'est assise par terre, en tailleur.

– Excusez-nous, dit Tim, nous n'avons que deux chaises.

Tout a l'air simple et satisfaisant.

Je suis folle d'avoir paniqué comme cela depuis plusieurs mois. Les mères! On se fait quelquefois de ces idées!

Tim continue à me donner des détails sur ses activités; il me parle aussi de ses parents «qui sont venus au mariage». Il m'entretient de la santé de Sara; il me fait part des difficultés qu'elle a pour régler son insuline.

– Je suis inquiet; elle monte parfois à 22.

– C'est beaucoup trop élevé. A-t-elle vu un médecin?

– Oui, oui, elle est bien suivie par le médecin de l'hôpital.

Sara hoche la tête.

J'aimerais bien parler à Sara. Elle est silencieuse, assise à ma droite. Je ne vois que le haut de sa tête. Elle est vêtue d'une robe bleu marine à manches longues, elle est pieds nus. (Il faut que je lui envoie une paire de chaussons.) La tête baissée, elle n'écoute que d'une oreille le discours de son mari : elle doit le connaître par cœur. Il est vrai qu'il est intarissable. Elle n'aime pas non plus qu'on se mêle de son diabète. Bouderait-elle ?

N'empêche que c'est déplaisant de parler de Sara comme si elle n'était pas dans la pièce.

L'heure tourne. Je ne veux pas les déranger trop longtemps. Je me sens rassurée, je les ai vus. Il est très aimable.

J'aimerais pourtant bien parler à Sara.

– Est-ce que tout va bien, ma chérie ?

– Mais oui, elle va bien, répond Tim à sa place, avec un bon rire.

– Sara ?

Elle lève la tête et me sourit.

– Tu as une dent cassée !

– Je l'ai cassée en mangeant une noix.

Elle me regarde en souriant, puis elle se tait.

Elle est «blanchinette», mais a l'air calme et semble satisfaite.

Il faut que je m'en aille, maintenant.

Je la serre dans mes bras. Il m'embrasse aussi en accompagnant son geste d'un chaleureux :

«Bon retour, faites attention sur la route. Que Dieu vous garde, ma sœur. Merci d'être venue nous voir. Que Dieu vous bénisse.»

Sara s'appuie sur lui ; il l'entoure de son bras. Je la regarde encore une fois pour m'imprégner de son image. Elle est resplendissante de paix.

Sitôt arrivée, j'appelle Jo. Je lui décris l'endroit, Tim, Sara, ma conversation; mentalement, je passe en revue les détails de la visite.

– Je l'ai trouvée changée. Elle a l'air d'avoir trouvé la paix, elle est sereine, pas une mine extraordinaire cependant... Elle était sans doute fatiguée... Elle est si calme, elle qui était un petit émerillon vif et bavard. Lui? Un charmeur, beau parleur. Il a beaucoup parlé de sa mère avec laquelle il a l'air de bien s'entendre; il m'a paru très affectueux avec Sara. Elle est heureuse, Jo.

Jo reste sur sa réserve.

– C'est dommage que tu n'aies pas pu lui parler seule à seule.

– Oui, j'aurais aimé, mais c'était délicat de dire à son mari : «Allez dans la chambre à côté, je ne veux pas que vous entendiez notre conversation!» De toute manière, il aurait tout entendu, car l'appartement est petit. J'ai fait une ou deux tentatives pour leur proposer une promenade, mais ça n'a pas pris; il tombait une petite pluie froide, personne n'avait envie de sortir par ce temps-là.

Mais, Jo, je l'ai revue!

Que d'émotions! J'ai du mal à m'endormir. Je pense à Sara, à sa nouvelle vie, je la revois...

Subitement, je m'assieds sur mon lit : «Ses yeux!»

C'est ça, j'ai trouvé! Je revois clairement ses yeux. Elle avait le regard d'un chat dans la nuit : les pupilles étaient dilatées.

Se drogue-t-elle? Cela pourrait expliquer le nirvana dans lequel elle était.

À l'aube, je rappelle Jo.

– J'ai trouvé, Jo : elle se drogue.

– En es-tu sûre? C'est une possibilité.

– Voyons, Jo ! Elle avait les pupilles larges comme des soucoupes.

– Il peut y avoir plusieurs explications… Tim peut lui donner à son insu un narcoleptique pour qu'elle se tienne tranquille.

– Qu'est-ce que je peux faire ?

– Retourne à Otterton et essaye de la voir toute seule.

Facile à dire, plus compliqué à faire. Et me voilà repartie sur la route… Quatre cents kilomètres à faire dans la journée.

Hier, tout en bavardant avec Tim, j'ai essayé de lui soutirer le maximum d'information. Je ne peux pas expliquer pourquoi j'ai agi ainsi. Par curiosité ? Pour essayer de mieux comprendre la situation ? Parce qu'on ne sait jamais ? Ou simplement parce que « j'ai eu du pif » ?

J'ai donc appris qu'il prêchait toutes les après-midis dans la rue principale.

Arrivée au centre-ville d'Otterton, un œil sur la circulation, un œil sur le trottoir, j'essaye de les repérer au milieu des passants. Il y a un attroupement devant l'entrée d'un grand magasin. J'essaye de voir ce qui se passe. Un mouvement de foule : ce sont eux !

Tim est habillé en clergyman, il harangue la foule de la voix et du geste. Ma fille, la tête couverte d'un large foulard, se tient respectueusement derrière lui. Elle a des prospectus à la main. Elle est immobile. On dirait une pauvresse muette.

C'est un choc. Elle qui ne tenait pas en place, qui était si gaie, est là en servante muette. Le feu passe au vert.

Je gare la voiture un peu plus loin et rebrousse chemin à pied. Je me dépêche : « Pourvu qu'ils ne soient pas partis ! »

Je m'approche de Sara. Elle ne me voit pas, perdue dans ses pensées. Je l'appelle doucement : « Sara, Sara », puis plus fort :

– Sara ! Sara !

Elle sursaute, toute surprise :

– Maman, qu'est-ce que tu fais là ? Tu m'as fait peur !

Je ne tiens pas à expliquer ma présence à portée des oreilles de Tim.

– Je te raconterai. J'arrive tout droit de la maison. J'irais bien prendre un café. Tu viens avec moi ?

– Je ne peux pas.

– Comment ça ?

– Je n'ai pas le droit de bouger. Je dois attendre que Tim ait fini.

– Ça va prendre longtemps ?

– Je ne sais pas ; ça dépend.

Tim m'a vue mais, continue à s'adresser à la foule avec conviction.

– Bon, viens alors.

– Non, il faut le lui dire. On ne peut pas l'interrompre quand il prêche.

– Ma chatte, moi, j'ai envie d'un café et j'ai besoin de passer au petit coin. *Une urgence naturelle va peut-être la faire bouger.* Je suis venue directement de la maison et je veux rentrer avant ce soir. Viens donc prendre un café, allez !

Je vais me planter devant Tim. Sara bouge enfin. Je fais une mimique pour lui indiquer que nous allons boire une tasse de café.

Sara le regarde et dit :

– C'est d'accord, Maman.

Quel langage secret parlent-ils ? Moi, je n'ai rien saisi.

Sara me suit. Je m'éloigne et nous nous dirigeons vers un grand hôtel où nous allions autrefois avec son père. J'en garde un bon souvenir : les salons étaient agréables, les fauteuils confortables, l'ambiance feutrée, et ils servaient un *High Tea* excellent. J'ai bien besoin d'avaler quelques sandwichs avant de repartir, car je vais devoir conduire toute la nuit.

Cela ne fera pas de mal aussi à Sara de se rappeler qu'un peu de luxe de temps en temps, ce n'est pas désagréable.

– Maman, je ne suis pas assez bien habillée, me reproche-t-elle dès qu'elle réalise où nous sommes. D'un geste vif, elle retire son foulard.

– Tu es très bien comme ça, ma chérie.

Elle me suit, surprise comme si elle découvrait cet endroit pour la première fois, alors qu'elle y est venue souvent autrefois.

Je choisis une table d'angle au fond de la salle. De ma place, je peux voir l'entrée du salon : je verrai arriver Tim, s'il nous retrouve.

D'une petite voix, elle demande :

– Tu crois que je peux commander un cappucino? Non, c'est trop cher… Un café régulier.

– Voyons, ma poulette, prends donc un cappucino si tu en as envie. Veux-tu un gâteau?

– Non merci, Maman, c'est trop. Merci.

Sara n'est pas à l'aise. Elle est figée, les mains sagement croisées sur les genoux. Elle fixe du regard le bol de cacahuètes sur la table.

– En veux-tu?

– Tu crois que je peux?

– Évidemment, elles sont là pour être mangées!

Lorsque la serveuse dépose notre commande avec style et sourire de service, Sara la remercie avec effusion. Le sourire de la serveuse s'accentue. Je peux lire dans ses pensées : «Madame est en train de sortir la cousine pauvre.»

Sara, la tête baissée, mange des cacahuètes à pleine main.

– Tu as déjeuné?

Elle me jette un coup d'œil furtif et ne répond pas.

– Avez-vous de quoi vivre?

– Nous sommes pauvres, nous n'avons pas d'argent.

– Vous ne recevez pas les allocations sociales?

– Si, mais la vie coûte cher à Otterton, et puis nous donnons de l'argent à l'église.

– À quelle église allez-vous?

Elle patauge, baisse le nez et répond entre ses dents :

– Ça dépend.

Je change de sujet.

– Et toi? Comment vas-tu? Ton diabète? Es-tu satisfaite de ton nouveau docteur?

– Les docteurs? Ils se valent tous.

Sa réponse m'étonne : elle appréciait les soins de son médecin autrefois.

– Si tu ne l'aimes pas, change. C'est important que tu t'entendes bien avec ton médecin. Comment s'appelle-t-il?

– Son nom ne te dira rien; tu ne le connais sûrement pas. C'est le médecin qui m'a soignée pour mon coma à l'hôpital du Mont-Saint.

– Je croyais que tu avais été à l'hôpital Sainte-Croix.

– Non, je te parle de la dernière fois.

Quoi? Ce n'est pas vrai! Deux comas en quatre mois!

Sara me regarde avec suspicion :

– Qui t'a dit que j'avais été à Sainte-Croix?

– Léo, l'évangéliste.

Elle m'interroge, méchamment :

– Comment ça se fait que tu le connais?

J'essaye de désamorcer sa colère :

– Ma chérie, lorsque tu as disparu, j'ai été très inquiète et j'ai téléphoné un peu partout; c'est comme ça que j'ai connu Léo.

Elle me regarde, outrée comme un paon.

Abordons un sujet plus neutre :

– As-tu reçu toutes mes lettres ?

Un court « oui », sans appel.

– Pourquoi n'écris-tu pas ?

– Maman, reprend-elle, exaspérée, je n'ai pas le temps ! Tu ne te rends pas compte de tout ce que j'ai à faire ! Je suis mariée, maintenant. Je dois nettoyer l'appartement, et Tim aime que ce soit très propre, je dois faire les repas et toute la cuisine quand nous recevons des amis. Je fais aussi les courses et tout le lavage, et puis je suis très occupée.

– Tu ne vas pas à une laverie automatique ?

– Voyons, Maman, on n'a pas d'argent. C'est moi qui lave tout dans l'évier.

Ses mains sont rouges et gercées.

– C'est un travail fou, à notre époque. Tu laves à l'eau froide ?

– Non.

Elle ment.

– Ne dis rien, ma chouette, c'est mieux que de mentir.

Quelle vie ! J'ai envie de la prendre dans mes bras et de la bercer. Je me penche vers elle. Elle recule brutalement en se protégeant le ventre à deux mains.

– Tu as mal ?

– J'ai fait une fausse-couche hier soir.

Oh non ! Elle était debout depuis des heures, dehors avec le froid qu'il fait ! Pitié, mon Dieu !

– Tu as vu un docteur ?

– Non. Tim dit que c'est naturel et que je me plains trop. Tu sais, je ne suis pas forte et Dieu n'aime pas les gens comme moi.

Le salaud.

Son geste a dénudé ses poignets. Je ne vois pas son bracelet d'identification.

– Tu as perdu ton bracelet de diabétique ?

– Ils l'ont coupé. Personne ne porte de bijoux dans notre groupe.

– C'est un bracelet médical !

Elle ne répond pas. Encore un sujet scabreux !

– As-tu vu Sœur Maria ?

Elle me jette un regard vide.

– Mais oui, tu sais bien, la sœur dont tu m'as parlé, celle que tu voyais souvent lorsque tu étais à l'université... Le couvent est dans la même rue que ton appartement.

– Non, Dieu n'aime pas les religions.

Wahou ! Où allons-nous ? Ce n'est pas le moment d'avoir une discussion métaphysique.

– As-tu revu tes amis de l'université ?

Je suis obligée de lui tirer les vers du nez.

– Non, parce qu'ils ont des yeux de sorciers.

Elle vous envoie ça froidement à la figure. Elle est sérieuse.

Et c'est une jeune femme intelligente et instruite, soi-disant.

Je suis affolée. Mes pires craintes se réalisent : elle a subi un lavage de cerveau !

C'est fou ! C'est ma fille !

Que faire ? Que puis-je faire ? Je suis seule avec elle, mais Tim peut arriver d'un instant à l'autre.

– Dis-moi, ma chouette, pourquoi ne viens-tu pas passer quelques jours à la maison ?

Elle me regarde craintivement.

– Je ne peux pas, Maman ; je ne veux pas que tu tombes malade.

– Je ne suis pas malade !

– Je ne peux pas t'expliquer, tu ne comprendrais pas. Il faut que je rentre à la maison, maintenant.

La maison, c'est ce taudis où elle est esclave et où elle n'est pas soignée. Ma fille est folle !

Je n'aurai peut-être plus jamais l'occasion de la revoir seule, il faut que j'essaye de lui ouvrir les yeux.

– Tu trouves ça normal, la vie que tu mènes? Tu es une esclave, tu ne vois pas ton docteur quand tu fais une fausse-couche, tu ne vois pas tes anciens amis ni les gens que tu connaissais, tu ne réponds pas aux lettres, tu ne viens pas rendre visite à ta famille, tu n'as pas un sou à toi, tu n'as pas l'air de manger à ta faim, et tu acceptes tout ça? Ça ne va pas, ma chérie. Tu es épuisée. Viens avec moi, tu pourras au moins te reposer pendant quelques jours à la maison et réfléchir en paix.

Sara pleure en silence.

– Maman, je ne peux pas. Tim est mon mari et Dieu a dit que je lui devais obéissance et que mon devoir était d'être toujours à ses côtés. Je ne peux pas venir avec toi.

– Même pour deux jours?

Elle pleure et la petite Sara au cœur tendre apparaît :

– Je t'aime, Maman, je ne veux pas que tu ailles en enfer, je ne veux pas que tu meures. Tu sais, je prie tous les jours pour toi et pour Anne. Je prie très fort.

– Aller en enfer : c'est mon problème. Viens.

– Je ne peux pas, crie-t-elle.

C'est un mauvais film que je vis! Où se trouve le preux chevalier qui va venir à notre secours?

Sara se lève lourdement.

La mort dans l'âme, je l'accompagne. Nous sortons.

– Il fait déjà nuit?

– Nous sommes encore en hiver, la nuit tombe vite.

– Quel mois sommes-nous?

Elle a perdu la notion du temps. Quelle horreur!

Elle marche mécaniquement. Je la suis. À chaque coin de rue, elle s'arrête, regarde autour d'elle à la recherche de points de repère et, à haute voix, répète des trucs mnémotechniques pour s'orienter :

«*Au Magasins à Rabais Géants*, je tourne à gauche… Au stationnement, je vais tout droit… À la statue, je tourne à droite… À la maison d'accueil, je continue jusqu'au prochain croisement…»

Je suis effondrée. Sara, ma petite lumière, tu as perdu la notion du temps et de l'espace. Tu es un pantin entre les mains d'un prédicateur fou. Et je suis impuissante.

J'essaye, j'essaye encore de la convaincre.

– Sara, si tu changes d'avis et veux venir à la maison, va au couvent et demande Sœur Maria. Je lui ai parlé récemment et elle m'a demandé très gentiment de tes nouvelles. Elle m'a dit qu'elle serait contente de te voir. Est-ce que tu comprends? Va chez Sœur Maria et attends-moi là. Tu es en sécurité au couvent. Je viendrai te chercher, je te le promets.

– D'accord, Maman, je vais y penser. On va au musée demain avec le groupe et on passera devant le couvent.

Une lueur d'espoir.

Je la saisis mal. Parfois elle peut s'orienter, parfois elle ne peut pas. Aller au musée ne concorde pas avec la vie d'esclave (?) qu'elle semble mener. Elle n'est pas complètement libre; par contre, Tim n'a fait aucune difficulté pour qu'elle m'accompagne cet après-midi. Elle n'est pas folle et pourtant elle a de curieuses idées. A-t-elle subi un lavage de cerveau? Ou est-elle embringuée dans une vie marginale?

L'immeuble... l'escalier... Sara frappe à la porte :

– Hello, *Sweetheart*! Salut, mon cœur, c'est moi!

Tim ouvre la porte avec un large sourire.

– Hello! Tu as passé un bon moment avec ta maman? Vous avez été parties longtemps... J'ai préparé le souper.

Quel gentil mari! Sara est toute souriante et l'embrasse tendrement. J'ai sous les yeux un jeune couple amoureux.

Ai-je mal interprété la conversation que nous venons d'avoir? Ai-je rêvé? Est-ce que j'imagine des choses qui n'existent pas?

J'embrasse Sara. Tim me serre dans ses bras accompagnant son geste d'un chaleureux : «Bonne route et que Dieu vous protège».

Sur le pas de la porte, je me retourne :

– S'il te plaît, Sara, écris ou téléphone; je ne veux plus m'inquiéter.
– Je te le promets, Maman.

Deux cents kilomètres à avaler d'une traite encore une fois. Il faut que je prévienne Sœur Maria tout de suite en arrivant.

Je lui ai parlé deux fois auparavant : la première lorsque je faisais tous les numéros du carnet d'adresses de Sara et la deuxième après avoir su que Sara vivait à Otterton.

– Si je vois Sara dans la rue, j'irai lui parler et je vous donnerai des nouvelles.

Les deux fois, Sœur Maria avait été très compréhensive, avec un ton et des paroles qui n'appartiennent qu'aux religieuses. Elle me rappelait certaines sœurs caritatives qui nous consolaient en pension.

Ce soir, il est tard, mais tant pis. Je lui explique la situation; elle est âgée et sait bien des choses. Pleine de mansuétude et de charité, elle n'hésite pas :

– Oui, oui, je la garderai ici, le pauvre petit oiseau, et je vous appelle. Elle ne craint rien chez nous, elle sera en sécurité. Je vais prier pour elle. Ne vous inquiétez pas... Non, je vous promets, nous ne le laisserons pas entrer. Ne craignez rien. Nous attendons votre fille.

Encore une nuit agitée. Je me retourne, trop énervée pour pouvoir dormir.

Rien de comparable avec les nuits blanches passées debout à soigner un enfant malade. J'appliquais les gestes, donnais les médicaments, les faisais boire... Je pouvais, par des gestes, soulager leur misère. Aujourd'hui, je ne peux rien faire pour Sara.

Ma grand-mère disait : «Le pire est toujours devant soi.»

Je trouvais cette phrase horrible, mais elle contenait une certaine sagesse. Cela pouvait être interprété comme ceci : « Aujourd'hui, vois les choses du bon côté. »

Au matin, un tenace mal de tête me rappelle que ces tourments ne sont plus de mon âge.

La journée s'étire. Il pleut. Il pleut aussi à Otterton; j'ai vérifié la météo. Leur visite au musée a sans doute été remise.

Je n'arrive pas à savoir si Sara est libre de ses mouvements ou non.

En fin de journée, j'appelle Sœur Maria.

– Non, nous ne l'avons pas vue. Espérons qu'elle viendra au couvent demain ou ce soir. Cela nous arrive d'accueillir des gens en détresse même la nuit. Nous allons prier pour elle et pour sa maman. Sara est dans nos cœurs.

À sept heures du soir, le téléphone sonne.

La personne au bout du fil, une voix mâle, parle si vite que je ne comprends pas de qui il s'agit.

– Quoi ? Qui est à l'appareil ?

– Tim ! C'est Tim, d'Otterton !

Il hurle son nom.

– Oui ?

– Je vous interdis de la revoir.

– Quoi ?

Le ton de sa voix est violent. Il a bu ?

– Vous ne la reverrez jamais. Qu'est-ce que vous lui avez dit ? Des saloperies sur moi ? Vos lettres, ce sont des âneries ! Je vous interdis de lui écrire. Je vous interdis de venir. VOUS NE REVERREZ JAMAIS VOTRE FILLE VIVANTE. Vous êtes le démon. Je vais vous tuer. Vous allez rejoindre le Seigneur.

C'est un fou ! J'ai le cœur qui cogne. Ma voix tremble :

– Je veux parler à Sara, passez-la-moi.

– Non. Vous ne comprenez donc rien? Vous ne la reverrez plus jamais vivante!

Quelle violence!

– C'est ma fille, je veux lui parler.

– C'est ma femme!

Et il raccroche.

Je tremble, j'étouffe, j'ai envie de vomir.

Appeler la police. La voix hachée et suffocante, j'essaye d'expliquer la situation.

– Est-ce que Tim est chez vous en ce moment? me répond la policière.

– Non! Non! Il est à Otterton. C'est le mari de ma fille. Elle est avec lui. Il va la tuer. Il était si violent. J'ai peur pour elle.

– Madame, me répond la policière avec calme, si l'appel vient d'Otterton, vous devez appeler la police d'Otterton.

– Donnez-moi le numéro.

– Un instant, s'il vous plaît... Non, désolée, nous ne l'avons pas.

Il est peut-être en train de tuer ma fille, chaque minute compte et les services de police ne communiquent pas entre eux parce qu'il s'agit de deux régions administratives différentes.

Je dois appeler le service de renseignements téléphoniques de l'autre région pour obtenir le numéro général de la police d'Otterton. J'explique les événements.

– Où ça s'est passé?

– J'ai reçu un appel de menaces chez moi, mais il provenait d'Otterton.

– Contactez votre police régionale, madame.

– Non. C'est fait. Ils m'ont dit de vous appeler, vous. Ma fille est à Otterton, c'est son mari qui m'a menacé, il était très violent et je crains pour sa vie.

– Le nom de la rue?

Je donne l'adresse de Tim.

– C'est le district du Centre-ville ; appelez à tel numéro.

J'appelle et répète la même histoire, d'abord au policier de garde, puis à son supérieur.

Je pose un problème à cause des deux régions administratives.

– Madame, les menaces ont eu lieu chez vous, vous devez appeler votre service de police.

Ça recommence !

Ce n'est pas un vaudeville, c'est le père Ubu !

– Je l'ai fait, je vais le faire, mais, s'il vous plaît, envoyez quelqu'un voir si ma fille va bien. Je suis à deux cents kilomètres de chez vous.

– Bon, je vais envoyer une patrouille. Nom ? Adresse ? Âge ? Vingt-trois ans ?

Je le sens qui hésite. Ce n'est pas possible !

– Y a-t-il un âge pour être en danger ?

Le policier me répond froidement :

– Nous vous rappellerons quand la patrouille sera revenue.

J'attends. Une heure déjà. Je «vois» la rue dans la noirceur, je vois les lumières de la voiture de police, les policiers qui montent l'escalier – ils ne se pressent pas – ils frappent à la porte, ils entrent... Sara ? Je ne veux plus «voir».

Ça fait déjà deux heures. C'est mauvais signe. J'ai mal à l'estomac et à la nuque. Qu'ils appellent, bon sang !

Je rappelle le poste de police.

– Les officiers viennent de revenir. Il n'y avait personne à l'appartement. Ils ont parlé au concierge : il voit souvent votre fille, elle est toujours souriante. Il dit ne jamais avoir de problèmes avec les locataires de cet appartement. Selon nous, madame, votre fille va bien.

D'accord, je suis folle ! Et sa dent cassée ? «Ne jamais la revoir vivante», ça veut dire quoi ? C'est moi ou c'est elle qu'il veut tuer? Les deux peut-être? Je tais mes pensées.

– Je vous remercie. Pouvez-vous envoyer une patrouille demain pour vérifier?

– Il faut que vous rappeliez demain matin et l'officier responsable jugera du bien-fondé de votre demande. Vous pouvez aussi appeler tel numéro entre neuf heures et cinq heures.

C'est le service des relations publiques de la police.

– Je comprends que vous soyez inquiète, madame, me répond une femme avec la voix de l'emploi : douce et lénifiante. Le concierge de l'immeuble a dit que votre fille allait bien. Nous n'avons pas de plainte concernant le mari de votre fille : il n'y a pas grand-chose que nous puissions faire.

– Il était très violent.

– Il est violent parce que VOUS intervenez entre sa femme et lui, vous vous immiscez dans leurs affaires.

Je baisse les bras.

– A-t-il un casier judiciaire?

– Madame, c'est une information que nous ne pouvons pas donner.

– Je sais, mais vous, pouvez-vous vérifier?

J'essaye d'expliquer pourquoi je crois ma fille en danger; je donne le plus de détails possible sur Tim, sur les changements de comportement de Sara, sur ses deux comas... À la fin, j'ajoute :

– Il a quarante ans, il est en bonne santé, il ne travaille pas, il prêche dans la rue et il vit des allocations sociales...

– Ce n'est pas un crime, madame, me répond-elle, sarcastique.

Elle a raison. J'ai des faits que j'essaye de relier ensemble, mais je n'ai pas de preuve. J'ai juste un mauvais sentiment, une mauvaise impression.

– Que puis-je faire?

– Votre fille a vingt-trois ans, c'est une adulte. Il arrive souvent que les mères n'approuvent pas le choix de leurs enfants. Il faut que vous l'acceptiez, madame, si vous voulez avoir une chance de voir votre fille.

– N'exagérons pas. Ce sont eux qui ne donnent pas de nouvelles et n'acceptent pas mes invitations. Je pense que le problème est beaucoup plus grave qu'une histoire de relation avec une belle-mère. Ce qui m'inquiète, c'est sa santé et ses comas. Elle serait en Australie ou avec mon autre fille dans les Maritimes, je ne la verrais pas souvent. Je ne recevrais peut-être pas non plus des menaces de mort. C'est sérieux, et je n'ai le droit de rien faire.

– La meilleure chose que vous puissiez faire, madame, c'est de «laisser tomber»; ne vous mêlez pas de leur vie. «Laissez faire», n'insistez pas, ils peuvent vous poursuivre pour harcèlement.

Et merde! Ça, c'est le bouquet!

Je me bats contre des ombres.

S'ils s'imaginent que je vais abandonner aussi facilement, ils se trompent lourdement. J'ai l'âme et l'énergie d'une maman juive.

Puisque, selon l'«experte», il vaut mieux pour le bien-être de Sara que je n'intervienne pas directement, cela ne signifie pas que je n'ai pas le droit d'utiliser des chemins détournés, n'est-ce pas?

Ils reçoivent tous les deux des allocations sociales. N'est-il pas stipulé qu'ils doivent faire des efforts pour chercher un travail s'ils en sont capables?

J'appelle le service ad hoc. Je donne les noms, l'âge, l'adresse, le niveau d'éducation de ma fille, ses capacités, les emplois d'été qu'elle a déjà occupés.

Je me sens dans la peau d'un informateur.

– Elle a vingt-trois ans *c'est à mon tour*, elle est capable de travailler et lui aussi.

– Nous vous remercions de votre esprit civique.

Esprit civique ! Si tu savais...

– C'est nous qui payons des taxes pour ces gens-là. Ils jouent avec le système.

Et puis je me radoucis :

– Madame, ma fille est dans une situation délicate *quel euphémisme*, il faudrait qu'elle travaille et échappe pour quelques heures à une emprise qui n'est pas des meilleures. Essayez de voir ce que vous pouvez faire. Je vous remercie.

J'appelle ensuite l'hôpital du Mont-Saint. J'espère avoir plus de succès qu'avec l'information que m'avait donnée Léo. À l'hôpital Sainte-Croix, les préposées n'étaient pas arrivées à retrouver Sara sur le registre des admissions, ni sous son nom ni sous celui de son mari. Pourtant, il était peu probable, étant donné la gravité d'un coma, qu'elle ait été inscrite sur la liste externe ou qu'elle ait été dirigée vers une clinique voisine. L'avait-il inscrite sous un faux nom ?

Au Mont-Saint, les standardistes me promènent d'un service à l'autre. Elles finissent par me diriger vers une assistante sociale. Je lui explique l'histoire (Tout Otterton va finir par la connaître !) et lui fais part de mes craintes concernant la santé de Sara (les comas) et sa sécurité (les menaces). Elle va se renseigner et me rappeler.

Elle tient parole et, deux jours après, elle appelle :

– Je ne suis pas autorisée à vous donner quelque information que ce soit sur votre fille, car elle a vingt-trois ans. Les dossiers sont confidentiels. Cependant, je peux vous dire que j'ai parlé avec l'assistante sociale qui l'a vue : ce que vous m'avez raconté ne l'a pas étonnée et correspond à son impression. Nous avons donné deux rendez-vous à votre fille et elle ne s'est pas présentée.

– Pouvez-vous envoyer une assistante sociale chez elle?

– Non, nous ne faisons pas de visites à domicile. L'assistante sociale lui a donné une carte avec le nom et le numéro de téléphone des personnes qu'elle peut contacter dans son quartier, mais c'est à la patiente de faire la démarche.

– Et s'il l'empêche d'aller à ses rendez-vous?

– Nous sommes conscients des difficultés du cas. Malheureusement, nous ne pouvons pas agir autrement. Vous devriez essayer de contacter un *Guardian*, un tuteur.

– Qui est-ce? Quel est son rôle?

– C'est une personne qui veille sur un adulte et prend des décisions à sa place. On fait appel à eux quand, pour une raison ou une autre, cet adulte présente des incapacités de certain ordre qui l'empêchent d'agir comme un adulte responsable. Je vais vous donner le nom de la responsable. C'est une amie, dites-lui que nous nous sommes parlé. Ce serait une bonne chose, madame : votre fille est dans des eaux très, très profondes.

J'appelle le *Guardian*. J'ai besoin de détails pratiques : comment ça se passe, quel est son rôle, quelles sont les limites, etc.

– Madame, ça a lieu dans la juridiction où se trouve la personne. Cela veut dire qu'il faut que vous veniez ici et que vous vous présentiez en personne devant un juge. Vous devez non seulement expliquer la situation, mais vous devez avoir de sérieuses raisons et, si possible, des preuves pour appuyer votre demande. Même en me basant sur tout ce que vous me racontez, je ne peux pas vous dire si le juge acceptera ou refusera la demande. S'il accepte, votre fille devra être examinée par un psychiatre que la Cour aura désigné. C'est ce docteur qui fera l'évaluation. En gros, il y a deux raisons pour la mettre sous tutelle : si elle est un danger pour elle-même ou si elle est un danger pour la population.

– Ma fille Sara n'est pas suicidaire… et je ne pense pas qu'elle soit dangereuse pour les autres. C'est un procédé et des démarches bien complexes.

– Oui. De plus, le mandat que délivre le juge n'est valide que vingt-quatre heures. Vous devez demander à la police d'aller la chercher à son appartement. Encore faut-il qu'elle y soit ! Vous n'avez que vingt-quatre heures, n'oubliez pas. Si les policiers la trouvent, ce sont eux qui lui signifieront qu'elle doit subir une évaluation psychiatrique et ce sont eux qui l'emmèneront chez le psychiatre.

– Mais ce n'est pas une criminelle !

– Oui. Réfléchissez à la question et demandez conseil autour de vous avant de vous lancer dans tout ce processus.

– Je comprends ! Ma fille a des idées vraiment bizarres, mais elle est très agile intellectuellement. Elle a suffisamment de capacités intellectuelles pour « mener en bateau » un psychiatre qui va l'examiner une heure, qui n'aura pas le contexte et qui ne sera pas sensibilisé au problème des sectes. Elle a comme obsession qu'elle doit « protéger le groupe » et elle fera tout pour ça. Elle n'est pas bête !

– Oui, c'est pour ça que je vous conseille de réfléchir si c'est vraiment ce que vous voulez faire. Le succès est loin d'être assuré. Demandez conseil à un avocat ou à quelqu'un que vous connaissez.

Que d'obstacles ! Est-ce une bonne démarche ou pas ? Quel est l'impact ? Si ça rate, quelles sont les conséquences ?

Je risque de perdre la confiance de Sara :

«Ta mère pense que tu es une criminelle, ta mère dit que tu es folle, ta mère veut te faire enfermer, ta mère veut nous séparer.»

C'est le genre de laïus que Tim va lui servir; je vois ça d'ici. J'aurai l'air gros-jean comme devant.

J'appelle Simon à l'aide :

– Tu as besoin d'un avis juridique? Je connais quelqu'un de bien. Elle a eu affaire avec des sectes. Elle est d'une famille de juristes et a elle-même une excellente réputation. Elle s'appelle Claire. Téléphone-lui de ma part.

Bien sûr, c'est un nom de femme. Venant de Simon, ce n'est pas étonnant. J'aimerais bien voir son carnet d'adresses. Dix noms féminins pour un nom masculin? Ça doit être la proportion.

– Crois-tu que j'ai besoin de quelqu'un d'aussi réputé pour un avis général? Elle va me coûter les yeux de la tête!

– Elle est bonne.

– Bon, je te remercie. Je ne vais pas lésiner pour ma fille.

– Dis-moi, ma chérie, ça fait longtemps que je ne t'ai pas vue au *Club*.

– Simon, tu ne te rends pas compte, avec Sara…

– On mange ensemble la semaine prochaine et tu vas me raconter tout ça. Tu es ma collègue préférée, tu le sais bien.

Cher Simon, toujours en train de flirter! Il devait déjà charmer sa nourrice.

Utilisant la recommandation de Simon, je n'ai aucun mal à joindre Claire. Elle me déconseille d'entamer le processus juge-police-psychiatre-tutelle :

– Votre fille va passer le test avec succès. Elle va vous haïr pour l'avoir mise dans cette situation et Tim va s'empresser de mettre de l'huile sur le feu. C'est tout à son avantage qu'il puisse l'éloigner moralement de sa mère et il va en profiter, croyez-moi ! Ils auront beau jeu de dire que c'est vous qui les harcelez. Entamer cette démarche, c'est vous couper de votre fille pour des années.

– Y a-t-il un autre moyen légal d'agir ? Il l'empêche d'aller voir son médecin. Écoutez, pendant dix ans, elle a parfaitement contrôlé son diabète ; elle vit avec ce gars et elle fait deux comas en quatre mois : ce n'est pas normal. Je me doute qu'il est difficile de prouver que c'est lui le responsable, mais je pense qu'il utilise la situation à son avantage. Une diabétique qui fait une hypoglycémie est rapidement « dans les vapes », hébétée, et est dépendante de la personne qui est avec elle à ce moment-là. Ça va vite. Moi, je l'ai vue : elle était consciente qu'il fallait qu'elle prenne du jus d'orange ou du sucre, mais elle n'avait pas la force de bouger pour attraper le verre.

– Je vais demander un second avis à un juge que je connais ; nous verrons ce qu'il nous dira et ça nous permettra d'estimer nos chances de succès. Vous m'avez dit qu'elle était dans un groupe religieux, n'est-ce pas ?

– Elle est dans une secte.

– Oui, ça ne nous aide pas. Je fais des recherches et je vous rappelle d'ici quarante-huit heures.

Une semaine après : toujours pas de nouvelles.

Deux semaines après : même topo. Ces avocats sont débordés, mais moi j'attends impatiemment un avis. Quand j'essaye de joindre Claire, elle est en réunion, au téléphone, à la Cour ou en dehors de la ville. Je laisse message après message à sa secrétaire, lui demandant de bien vouloir me rappeler.

Trois semaines moins un jour : enfin, elle rappelle. Mon cas n'a plus du tout l'air de l'intéresser :

– Désolée, j'ai été très occupée. Compte tenu des informations que vous m'avez données lors de notre première conversation, je considère qu'il n'y a pas matière à poursuivre. Nous nous sommes parlé la dernière fois parce que vous m'aviez été recommandée par un ami très cher. *Cher Simon... Encore une ?* Votre fille est une jeune femme instruite de vingt-trois ans : elle est libre de ses choix. Elle s'est entichée d'un garçon et elle l'a épousé. Elle n'avait pas besoin de demander votre autorisation. Le fait qu'il soit évangéliste et que vous n'approuviez pas leurs croyances religieuses n'est pas admissible.

Je reste bouche bée. Elle déforme mes paroles. Ma fille n'est pas «entichée» de Tim, elle est abusée par lui. Venant d'une avocate renommée, une femme qui plus est, cela revient à dire :

«Sara a été violée parce qu'elle demandait à être violée !»

Claire, que se passe-t-il ? J'ai l'impression de parler à une personne différente. A-t-elle retourné sa veste ? Pourquoi ? Craint-elle les affaires de sectes ?

– Quel a été l'avis du juge en ce qui concerne la mise sous tutelle ?

– Il a été du même avis que moi. Nous vous conseillons d'abandonner ce genre de démarche. Il est fort possible que ce soit votre fille qui ne veuille plus se soigner. Si ça se trouve, Tim est un excellent infirmier pour elle. Oubliez tout ça, c'est ce que vous avez de mieux à faire. C'est une grande fille. Laissez tomber.

– Est-ce que vous pourriez parler à Sara, puisque moi je le mets en furie ?

– Non, car si je l'interroge, je peux être appelée comme témoin et, croyez-moi, passer une journée à attendre à la Cour, ce n'est pas comme ça que je gagne ma vie !

Oui, et ma fille est en train de perdre la sienne ! C'est écœurant.

– Que puis-je faire d'autre, Maître ?

– Ce que je viens de vous dire : oubliez tout ça et laissez aller. Ne les harcelez pas. Sa dent cassée ? Il la bat ? Vous vous imaginez des choses ! Si votre fille n'est pas heureuse, elle ira demander de l'aide à la police ou au service social. Elle ne vit pas dans un pays perdu ! Laissez-la faire ce qu'elle veut. Ce n'est pas votre problème.

Et Claire est une avocate experte, spécialiste des situations d'abus et des sectes ? J'en perds mon latin. Elle est peut-être très calée, mais n'a pas la plus petite once d'humanité.

Où va le monde si l'insensibilité est le prix de la réussite ?

Avocat, policier, psychologue, évangéliste, tous me disent : «Laissez tomber, vous faites une montagne de cette affaire qui est bien banale, c'est vous le problème, vous supposez des dangers qui n'existent que dans votre imagination.»

En effet, si je n'étais pas là à m'agiter comme une forcenée, tout le monde laisserait Tim faire ce qu'il veut de Sara. Je suis l'empêcheur de danser en rond, la pierre d'achoppement. Dire que c'est moi le problème est une manière facile d'éluder la question.

Ces «experts» agissent-ils ainsi par ignorance, par méconnaissance des indices et des facteurs d'un cas nouveau pour eux ? Nient-ils ce qu'ils ignorent ? Il ne fait pas bon déranger.

Simon dirait que c'est le syndrome Galilée : «Et pourtant elle tourne !»

Laisser tomber ? Abandonner ? Laisser faire ? Il n'en est pas question ! Pour l'instant, c'est Claire que je tiens au bout du fil :

– Maître, pourquoi Sara ne répond pas aux lettres ? Pourquoi j'entends le souffle d'une personne qui se tient à côté d'elle lorsqu'elle téléphone ? Elle n'est pas libre, Maître. Tim joue avec elle comme un chat avec un oiseau. Et nous savons tous comment ça finit. N'y a-t-il rien à faire ?

– Vous avez déjà pris des vacances avec elle ? Si j'étais vous, c'est ce que je ferais : je l'emmènerais en vacances.

L'imbécile ! Me prend-elle pour une demeurée ? Croit-elle que je n'ai pas pensé à cette solution-là ? Claire méjuge les forces en jeu dans la situation de Sara.

En plus, j'ai mon quota des gens qui me disent « si j'étais vous ». « Si j'étais vous, j'aurais interdit à Sara de rencontrer Tim. » « Si j'étais vous, je l'aurais mieux élevée. » « Si j'étais vous, je ne l'aurais pas gâtée autant. » « Si j'étais vous, j'aurais exigé ci et ça. » « Si j'étais vous, ça ne serait pas arrivé. » Peut-être, mais, en général, les conseilleurs ne sont pas les payeurs.

– Ne peut-on le poursuivre pour négligence criminelle ?

– Selon mon expérience, si Tim dit à la Cour qu'il a agi en toute bonne foi et qu'il n'a fait que suivre ses croyances, en fait, s'il dit que c'est Dieu qui a dirigé sa main, il ne sera pas tenu responsable.

Je sors de mes gonds.

– Quoi ? Alors, si je braque une banque ou si je tue le chien du voisin qui me réveille tous les matins et dis : « Monsieur le juge, je suis désolée mais c'est Dieu qui m'a donné l'ordre d'agir ainsi », je ne serai pas condamnée ? Vous voulez rire ?

– Je n'ai rien de plus à vous dire. Suivez mon conseil et partez quelques jours en vacances avec elle.

Je suis outrée. Je ne peux croire que Claire soit représentative du système judiciaire.

Consulter un autre avocat? Je n'en connais pas. C'est pour ça que j'avais demandé une référence à Simon.

Cher Simon, toi qui n'es pas un imbécile, pourquoi perds-tu toute pondération lorsque tu te trouves en présence d'une jolie frimousse ou d'un petit corps bien chaud et frétillant?

J'ai assez perdu de temps et d'argent. Le conseil de Claire d'emmener ma fille en vacances va me coûter assez cher comme ça.

Que puis-je faire d'autre? J'ai épuisé toutes les ressources que j'avais. Il reste les médias. Ai-je suffisamment de faits concrets pour les intéresser? Ne risque-t-on pas un effet de retour de bâton avec ce type d'action?

Je suis dans un cul-de-sac. La secte est un groupe bien organisé et formé de gens qui sont intelligents, qui ont de l'expérience et qui ne laissent rien au hasard. Je n'arrive pas à trouver la moindre faille ou le faux pas qui me permettraient d'agir. Je suis bel et bien coincée.

Lors de ma première rencontre avec le service de police de mon quartier, énervée par ce que je prenais pour de l'inertie, je leur avais dit :

– Alors? Vous attendez qu'elle soit morte pour faire quelque chose?

Et le policier avait murmuré entre ses dents : «Oui».

Haro ! Haro ! Mon prince

Il existe un beau proverbe juif : « Une personne n'est morte que lorsqu'on ne se souvient plus d'elle. »

Je me souviens si clairement de Sara qu'il est impossible qu'elle soit morte. Existe-t-il une dernière chance quelque part ?

Au Moyen Âge dans les îles Anglo-Normandes n'importe quel habitant pouvait arrêter son prince et demander justice en se mettant à genoux sur son passage et en criant à haute voix :

« Haro ! Haro ! À l'aide mon prince, on me fait tort. Rendez-moi justice ! »

Autre temps... autres mœurs. Il me faut tout essayer : je n'ai plus rien à perdre.

Je décide d'envoyer une supplique à la personne la plus puissante du royaume. Je choisis de l'adresser à l'épouse de mon Prince :

« Madame, vous qui êtes mère et épouse de notre Prince, venez à notre secours... »

Répondra-t-elle ? Ne répondra-t-elle pas ? Je verrai bien, mais je pourrai au moins me dire que j'ai tout tenté pour venir en aide à ma fille. Et si Sara ne peut être sauvée, je veux que ce malheur ne soit pas tu. Étouffer ce type de drame familial, c'est permettre qu'il se répète.

Les semaines passent. Après ce méchant hiver, le printemps est revenu. La lumière fragile est une petite luciole d'espoir. Crocus, narcisses, jonquilles, tulipes apparaissent tour à tour dans le jardin. L'air encore frais est précurseur de ce que je nommais autrefois «les beaux jours». Stimulée par le renouveau, j'entreprends de grands travaux dans le jardin. Cette année, ayant trop de temps à moi, je vais enfin pouvoir construire le «deck», une terrasse en bois au fond du jardin; je vais aussi refaire le chemin en pierres. Charrier planches et pierres est mon chemin de croix.

Un matin, j'ai entendu le cri rauque des oies qui remontaient vers le Nord. Elles suivaient le fleuve. Nombreuses, elles zébraient le ciel pâle de grands *V*. Ah ! que j'aimerais que ce fût pour le V de Victoire !

Les gens de mon quartier, mon petit village, me jettent un coup d'œil de pitié lorsque je les croise. Porterais-je la misère du monde sur la figure ? Avec un air de cocker et le ton de circonstance, ils m'arrêtent pour me demander : «Avez-vous des nouvelles de Sara ?» Je hoche la tête négativement et les remercie de leur commisération avec effort : à chaque fois, j'ai les yeux qui piquent.

Durant la journée, je force mon esprit à être occupé à des tâches diverses et les heures finissent par s'ajouter les unes aux autres.

Je redoute la tombée de la nuit, l'heure où la tristesse arrive.

Les nuits sont longues et je pleure tant qu'au matin, lorsque je me regarde dans le miroir de la salle de bains, je ne me reconnais pas : les paupières rouges et boursouflées, j'ai ma «tête de lapin russe», comme disait ma grand-mère.

Le plus douloureux est d'osciller entre l'espoir de la savoir vivante ou la résignation de l'imaginer morte. Cette incertitude me consume. Ne pas pouvoir tourner la page, être en situation d'attente, de longue attente, est épuisant.

Faut-il espérer? Faut-il se résigner? Regarde-t-elle encore le ciel? Ressent-elle la chaleur du jour? Es-tu enterrée quelque part dans un sous-bois anonyme, ma jolie Sara?

Je comprends maintenant l'acharnement des familles des disparus et leur entêtement à vouloir savoir où se trouve le corps de l'être cher.

Ne pas savoir ce qu'elle est devenue est une torture.

Pouvoir pleurer en paix et faire le cheminement du deuil serait presque un soulagement.

Certains jours je me sens tellement oppressée à l'idée qu'«ils» l'ont larguée et se sont débarrassés du corps que j'appelle les morgues des hôpitaux d'Otterton :

«Je recherche ma fille qui est peut-être décédée. Avez-vous eu récemment un décès d'une personne non identifiée? C'était une jeune femme d'un mètre soixante-cinq, les cheveux noirs.»

J'attends la réponse le corps étreint par l'angoisse.

J'ai lu récemment un triste évènement *(3)*. Un membre d'une secte a été déposé dans un hôpital dans un état critique sous un nom d'emprunt. Il avait environ une trentaine d'années. Il est mort de malnutrition. (Ceci se passe au XXe siècle dans un pays dit civilisé.) La police n'ayant pas pu l'identifier, sa famille n'a pu être prévenue à temps.

Je suis certaine que ce fou à Otterton et son gang agiront de même.

À chaque fois que je vois dans le journal : «Le corps d'une jeune femme a été retrouvé, etc.», mon cœur se serre. Est-ce elle?

Je n'étais pas loin de la vérité. J'ai appris depuis que, lorsque Sara avait été dans le coma, les membres de la secte l'avaient jetée en pleine nuit sur le trottoir. Il était passé minuit. Le bruit de la portière qui claquait et un démarrage sur les chapeaux de roue avaient réveillé des gens. Ils avaient appelé les secours. Lorsqu'elle est arrivée à l'hôpital, les médecins ont dit qu'il ne lui restait que quelques heures à vivre.

L'éventualité de sa mort fait partie de mes pensées quotidiennes.

Les jours de pluie et le soir, je lis tout ce que je peux sur les sectes. Je veux savoir, je veux comprendre. J'élimine la littérature à sensation : ce type d'émotions, je le vis au quotidien.

Je suis stupéfaite devant les nombres avancés :

Il semblerait qu'il y ait cinq à dix millions d'adeptes répartis dans le monde et qu'en dix ans les sectes aient fait vingt millions de victimes *(1, 4, 5)*.

Je suis également étonnée par la diversité du phénomène :

Certaines sectes sont des phénomènes locaux, ponctuels, composés d'une douzaine d'adeptes. D'autres sectes regroupent des milliers de membres et sont des multinationales; ce sont des organisations financières complexes dont le chiffre d'affaires atteint plusieurs millions et même plusieurs milliards de dollars (5).

C'est incroyable ! J'ai ouvert la boîte de Pandore.

Pandore, dans la mythologie grecque, est la première femme qui a été créée. La déesse de la sagesse, Minerve, lui donna toutes les grâces et tous les talents, mais Jupiter lui fit cadeau d'une boîte où étaient enfermés tous les maux de la terre. Un jour, l'époux de Pandore ouvrit la boîte et tous les maux s'échappèrent. Il ne resta que l'espérance.

La boîte de Pandore, c'est ce qui, sous une apparence de charme et de beauté, est la source de bien de calamités. Mieux vaut ne pas l'ouvrir!

Mais qu'est-ce qu'une secte? Je vais chercher tout bêtement la définition dans le dictionnaire.

Un groupe organisé de personnes qui professent une doctrine commune. Se dit particulièrement en religion de ceux qui se sont détachés d'une communauté principale pour former un groupe dissident, une bande à part, une clique. Le terme «secte» est communément utilisé par plusieurs religions même s'il peut représenter des entités complètement opposées (6, 7, 8).

Cela n'implique pas une connotation de danger, de terreur, d'abus. Ça ne correspond pas à ce que ma fille connaît. Il y a un tel écart que le mot n'existe pas. Enfin, pas encore…

Les spécialistes ont résolu le problème en ajoutant un qualificatif pour identifier la réalité. Je remarque qu'ils définissent les sectes par leurs caractéristiques et par la façon dont les gens qui en font partie sont affectés. Ils parlent de «cultes destructeurs», «sectes destructrices», «sectes aberrantes», «groupes religieux abusifs», «organisations totalitaires aberrantes».

Une secte est un groupe ou un mouvement qui montre une dévotion et un engagement excessifs à une personne, à une idée ou à une chose et qui utilisent des techniques de manipulation contraires à la morale pour influencer et persuader un individu. Cette manipulation étant utilisée pour servir les objectifs du chef du groupe au détriment, présent ou à venir, de l'individu et de sa famille (4).

En parlant de cultes et sectes aberrants, je [c'est Paul Martin qui parle] fais référence essentiellement à la tendance qu'ont plusieurs groupes à utiliser des méthodes de manipulation contraires à la morale pour recruter et intégrer des membres dans ce groupe et pour contrôler leurs pensées, leurs sentiments et leur comportement afin de servir les objectifs du leader (9).

Tout groupe, religieux ou séculier, qui utilise des méthodes de manipulation pour attirer et retenir des membres. Une secte exige la soumission totale à un pouvoir autocratique et instille dans la tête de ses membres l'idée qu'eux seuls détiennent la vérité (10).

Un groupe manipulateur qui exploite ses membres et peut leur infliger des dommages physiques et/ou psychiques.

a) Dirige les pensées, les sentiments et les actions de ses membres.

b) Se réclame d'un statut exceptionnel pour lui-même ou pour leur pouvoir suprême en opposition avec la société et/ou la famille.

c) Exploite ses membres psychologiquement, financièrement et/ou physiquement.

d) Utilise des techniques de manipulation et de « contrôle de la pensée ».

e) Cause des dommages psychologiques considérables à ses membres et à leur famille (11).

Je remarque que, d'une secte à l'autre, les grandes lignes directrices varient peu :

• Le secret est omniprésent : il faut se cacher pour faire des choses que la morale et la société réprouvent.

• Il faut séparer le membre de sa famille et l'éloigner de quiconque n'appartient pas à la secte, et restreindre et surveiller toute communication afin qu'il ne puisse pas subir une contre-influence.

• Priver le membre de sommeil et l'épuiser physiquement par des exercices de prières ou récitations, par des tâches obligatoires et répétitives, par un régime alimentaire inadéquat, afin de le désorienter. Cette méthode entraîne très rapidement la perte de la notion du temps et de l'espace et brise la volonté.

• À cela, s'ajoute un régime totalitaire qui va du contrôle des activités, des comportements et des pensées, au droit de regard sur les activités sexuelles et le choix des unions.

• La perte de la personnalité et l'avilissement de la personne sont entretenus par des confessions publiques et la constante pression et les délations du groupe.

• Les méthodes de manipulation mentale et/ou physique utilisées induisent des psychoses et un sentiment excessif de honte qui rendent le membre prisonnier de lui-même et de son/ses mentors/bourreaux.

• L'aboutissement de tout ceci est la ruine des adeptes, l'enrichissement du maître, la destruction de l'adepte, parfois sa mort, et le bouleversement des membres de sa famille.

Le pouvoir qu'exerce le leader de la secte sur ses adeptes devient très rapidement un pouvoir autocratique...

Le «maître» ordonne tout : le Dieu que l'on doit prier, les heures, le type et la durée des dévotions, ce que l'on doit manger, ce qu'il faut acheter, les heures de sommeil, les relations sexuelles...

La secte prend tout aux adeptes sauf leur vie. Bien que dans certaines sectes, on ôte même la vie en pratiquant des sacrifices humains, des séances d'exorcisme, en battant ou en assassinant ceux que le leader considère comme nuisibles au culte (12).

À cette liste, j'ajoute : ou en pratiquant le *healing*, la guérison, en négligeant ou en refusant les soins médicaux nécessaires aux membres dans le besoin, en les privant d'insuline, en les nourrissant mal ou en les affamant, en ruinant leur santé de diverses manières.

Ce que je lis est une descente aux enfers.

Comment ma fille a-t-elle pu se laisser entraîner dans cette aberration ? Elle était jeune, certes, mais elle n'était pas idiote.

Comment des milliers de gens peuvent-ils arriver à se retrouver dans ces situations ?

Dans le prospectus du *Cult Information Center* de Londres, je lis :

Secte demande personne
Intelligente,
Idéaliste,
Ayant reçu bonne éducation,
À l'aise financièrement,
Spirituellement et intellectuellement curieuse (13)...

Qui ne voudrait pas correspondre à ce profil ? C'est la crème de la crème ! Les sectes, comme les compagnies efficaces, cherchent à recruter les meilleurs. Ils ciblent ceux qui sont altruistes et ont une inclination pour le spirituel.

La plupart des individus qui sont attirés par une secte sont animés par un désir louable de servir Dieu et son prochain (24).

Ma fille remplissait toutes les conditions et je ne m'étonne plus qu'elle ait été ciblée et choisie par le recruteur de la secte pendant son année universitaire, puisque c'est comme cela que ça se passe, paraît-il. Elle était la parfaite candidate !

En me documentant, je découvre que, contrairement à ce que je croyais en toute naïveté, ce ne sont pas seulement les jeunes et jolies femmes qui sont la proie des sectes. Les sectes font feu de tout bois qui peut leur être utile sans discernement de sexe ou d'âge : les enfants, les personnes d'âge moyen, les vieillards, femmes et hommes, tout est bon s'ils remplissent les conditions. Même si *la majorité des individus sont recrutés lorsqu'ils quittent la maison pour l'université (1)*, les personnes plus âgées (et riches) sont aussi la cible des sectes : *Les nouvelles victimes des sectes. Si vous vous inquiétez à l'idée que c'est votre adolescent qui risque de faire partie d'une secte, vous vous trompez. Aujourd'hui, c'est votre mère – ou vous-même – qui courez le plus de risques (18).*

Le ciel me tombe sur la tête. Pourquoi ? Comment autant de personnes d'un certain âge, qui ont donc de l'expérience, peuvent-elles ainsi se laisser embarquer ainsi ?

Le premier contact avec les membres d'une secte est innocent, agréable et même souvent amusant. Un petit groupe composé de quelques personnes sympathiques vous invite à leur rendre visite ; l'objectif est de vous séduire adroitement afin que vous vous sentiez plus aimé que jamais (12).

Vous rencontrez des personnes qui sont les plus sympathiques que vous ayez jamais connues et qui vous présentent au groupe le plus chaleureux que vous ayez jamais rencontré, dirigé par le leader le plus inspiré, attentionné, compatissant et compréhensif que vous ayez jamais vu, et en plus vous apprenez qu'ils œuvrent pour la cause la plus sensationnelle que vous n'auriez jamais osé imaginer... (14).

Ce sont les paroles qui expliquent pourquoi Jeannie Mills a rejoint les *People's Temple.*

People's Temple est la secte qui, sous la direction du Révérend Jim Jones, s'était installée en Guyane. En 1978, elle fit la une des journaux à cause d'une orangeade bien spéciale : 914 adeptes moururent empoisonnés au cyanure.

Jeannie est arrivée à cerner les raisons pour lesquelles les gens s'engagent dans ces groupes : l'amitié, l'amour, l'inspiration, la chaleur humaine, la compassion, et une cause qui réjouit le cœur et comble l'âme. En fait, les gens n'adhèrent pas à une secte, ils se joignent à un groupe de personnes attentionnées et chaleureuses avec lesquelles ils se sentent en affiliation (1).

Personne ne se réveille un matin et se dit : «Aujourd'hui, je m'engage dans une secte.» Des milliers de personnes se joignent à des groupes en ne réalisant pas qu'ils s'engagent dans une secte (15).

La démarche est si subtile que la personne recrutée n'en est pas consciente. En général, c'est votre meilleur ami qui vous entraîne pas à pas dans des eaux de plus en plus profondes.

Les sectes utilisent des techniques de manipulation mentale qui sont efficaces... Elles s'adressent à votre émotif et non à votre intellect (13).

Même si nous constatons qu'il a été attiré dans la secte par l'utilisation de techniques de recrutement élaborées mais trompeuses, l'adepte néophyte s'est engagé volontairement. À part de très rares exceptions, personne ne l'a menacé d'un pistolet. Cependant, il y a de nombreux éléments de similitude entre l'endoctrinement sectaire et l'endoctrinement politique... appelé aussi la persuasion coercitive (23).

La persuasion coercitive n'est pas une pratique religieuse. C'est une forme voilée de méthode de manipulation. Il ne s'agit pas de croyances ou d'idéologie, il s'agit d'un processus technique qui affaiblit le rationnel (25).

En utilisant la suggestion par hypnose, il est possible de créer une distorsion temporaire des valeurs, des points de vue ou de la perception de la réalité qui est suffisante chez certains sujets pour induire des comportements qui leur sembleraient habituellement inacceptables. Certains hypnotiseurs... se spécialisent dans l'induction hypnotique sans utiliser l'induction par transes ou les techniques classiques comme celle de fermer les yeux (23).
Par exemple, la relaxation, la visualisation, la respiration peuvent être utilisées pour provoquer l'hypnose.

Les sujets visés par ces tactiques ne se rendent pas compte immédiatement ni même parfois jamais du but caché du programme de coercition psychologique... Les victimes perdent graduellement la capacité de prendre des décisions autonomes. Leur esprit critique, leurs défenses, l'apprentissage des connaissances, les valeurs, les idées, les attitudes, les capacités de raisonnement sont sapés par des procédés techniques (16).

Et ils se retrouvent, petits moutons bêlants, sous la houlette d'un berger bien particulier... Qui se cache sous le masque du « berger » ? Quelles sont ses motivations ? Quelle est la finalité ? Le sadisme, le pouvoir, l'argent ?

Le véritable but d'une secte destructive est d'augmenter le prestige du leader et bien souvent sa fortune... Le leader d'une secte destructive prend possession des biens des adeptes, de leur argent, de leur temps et de leur vie (19).

Les sectes veulent que vous vous engagiez à temps plein pour toute votre vie comme recruteur et collecteur de fonds (13).

Les membres des sectes rapportent souvent plus d'argent en une journée de quête dans la rue qu'ils n'en auraient gagné s'ils avaient travaillé (20).

Les énormes moyens financiers des sectes qu'elles utilisent pour se défendre proviennent des sacrifices financiers, qui n'est autre qu'un esclavage de facto de leurs membres (12).

J'ai la réponse à ma question. Il s'agit d'un commerce d'argent et de cerveaux. Une forme moderne d'esclavage qui est très efficace car il est volontaire. C'est aussi l'épidémie silencieuse du XXIe siècle.

Plus je lis sur le sujet, plus j'apprends et plus je suis attristée et terrifiée. Les témoignages des membres des sectes qui sont arrivés à s'en sortir sont tellement épouvantables que vous ne pouvez en croire vos yeux. Mais vous y croyez parce que les témoignages des différents individus qui se sont échappés des différentes sectes dans différents pays se recoupent et parce que certains faits peuvent être vérifiés.

Ce que je lis est en grande partie une réalité, aussi horrible soit-elle.

Ma seule consolation, c'est de me dire que si je lis ce témoignage, c'est parce que la personne s'en est sortie.

Je garde confiance; je ne m'accorde pas le droit de désespérer… pas encore. Une amie qui a perdu une fille et que je croise souvent à la bibliothèque me soutient en me disant : «Tant que tu ne l'as pas vue morte, tu dois croire qu'elle est en vie.»

Au milieu de tout cela, Anne m'apporte un souffle de bonheur : elle a eu un petit garçon le lendemain de Pâques et, selon la formule consacrée, la mère et l'enfant se portent bien. Comment va-t-elle l'appeler?

J'ai une pensée rapide pour ma grand-mère qui disait : «Un qui part, un qui vient.»

– Ô, mon Dieu! Faites que ce ne soit qu'un dicton de vieux…

Je veux me réjouir de la naissance de mon premier petit-fils.

Sara est-elle en vie?

Par une journée chaude de mi-mai, je reçois un appel :

– Ici le bureau du «Prince», je suis madame Unetelle et je vous appelle au sujet de la lettre que vous nous avez envoyée.

Youpi! Oui, «la Princesse» a bien reçu ma lettre, elle l'a lue et y a donné suite. Merci, Votre Altesse! Merci, mon Dieu!

– Appelez immédiatement le Dr Stan à l'université et appelez aussi le détective Luc. Voici les numéros; nous leur avons parlé hier, ils sont au courant de votre cas; ils ont le dossier, ils vont vous aider. Nous vous recommandons de ne pas vous adresser à S; cet organisme se propose d'aider les gens qui sortent des sectes, mais dans le but de les embrigader dans leur propre secte. Alors, éloignez-vous d'eux.

Elle me donne le nom d'un organisme très connu qui passe régulièrement dans les émissions de télévision. Ce serait échanger secte contre secte. Deux lavages de cerveau de suite : pauvre tête !

J'appelle immédiatement ces deux personnes. Le professeur Stan est absent et je lui laisse un message sur son répondeur. J'ai plus de chance avec l'autre numéro :

– Vous avez rejoint la section spéciale...

Où suis-je? Je ne me pose pas de questions, trop contente de pouvoir enfin ouvrir une porte et d'avoir comme interlocuteur quelqu'un qui doit être bien informé.

Le détective Luc prend immédiatement l'appel. Il est au courant du cas. Merci, mon Prince !

Il me demande de lui raconter les événements à ma façon depuis le début. C'est long, mais il m'écoute sans faillir; il m'interrompt de temps à autre pour me faire préciser un détail ou clarifier un point.

Il a une voix bien particulière, sérieuse et respectueuse, «officielle», mais en même temps chaleureuse et qui porte aux confidences; j'allais même dire aux confessions. Je ne parle pas à une voix anonyme, je parle à un être humain que j'ai curieusement l'impression de connaître depuis longtemps. Il fait le tri dans toutes les informations que je lui donne...

Il a une patience d'ange, et rendue où j'en suis, j'ai besoin d'un ange. Mais le plus merveilleux, c'est que, à la fin de notre conversation, IL ME CROIT. Enfin quelqu'un qui sait que ce que j'ai vécu existe et n'est pas le pur produit de mon imagination.

Je me rends compte qu'il est méthodique, intelligent, et qu'il a non seulement un bon esprit d'analyse, mais aussi un esprit de synthèse. Le prince m'a gâtée. Merci pour ma fille.

Il me confirme que Sara est bien dans une secte; cela a l'air idiot, mais tant de «spécialistes» m'ont affirmé que c'était une crise d'adolescence tardive, qu'elle était éprise et folle d'amour, que c'était moi le problème, que cette petite phrase transforme en axiome ce qui est resté une hypothèse pendant des mois.

Le détective Luc est un stratège. Je dois le rappeler en soirée. Il veut parler au professeur Stan. Ils vont évaluer ensemble ce qu'ils peuvent faire pour aider Sara.

Le soir même, utilisant le système des «appels conférences», nous avons une longue conversation à trois. Je n'ai pas à convaincre le professeur Stan : il sait.

Enfin, enfin des gens qui viennent à la rescousse! Cela faisait si longtemps que je menais seule ma barque et que j'étais immobilisée dans le «pot au noir». Soufflez, soufflez, vent de l'espoir...

Le détective Luc et le professeur Stan me prennent par la main et me dirigent à travers les récifs.

J'ai l'impression de me retrouver acteur dans les histoires de la Résistance en France pendant la deuxième guerre mondiale que me racontait mon père.

J'ai mis le béret du membre du Service de Renseignement de la Résistance pour libérer Sara (S.R.R.S.), département stratégie.

• Le principe de base à ne jamais oublier est le suivant : Sara est entre leurs mains. Ne jamais l'oublier. Ne rien faire qui puisse aggraver sa situation. Se rappeler que «c'est ma fille qui payera».

• L'objectif à long terme :
Nous allons élaborer la meilleure stratégie qui comporte le minimum de risques pour rendre sa liberté à Sara.

• La démarche :
Premièrement :
– Savez-vous si Tim a contracté une assurance sur la vie de Sara ? Il savait qu'elle était diabétique avant de l'épouser.
– Vous croyez ? Je pensais que les compagnies d'assurances créaient toutes sortes de difficultés pour assurer un diabétique sur la vie ou que les primes étaient exorbitantes.
– Vérifiez. Vous ne semblez pas savoir à quel point les sectes sont bien organisées. Substituer une autre personne à celle qui doit passer l'examen médical est un tour de passe-passe qui s'est déjà vu.

Deuxièmement :
– Pouvez-vous demander à un avocat s'il n'y a pas matière à accuser Tim de négligence criminelle ? J'ai vu deux cas similaires *dans mes livres*.
– Je me suis déjà adressée à une avocate et la réponse est « non ».
– Pouvez-vous demander un deuxième avis ?

Troisièmement :
– Pourriez-vous vérifier sur les registres de mariage si Tim n'a pas déjà été marié et n'a pas « oublié » de divorcer, comme semblait vous le dire quelqu'un qui le connaissait ? S'il était bigame…

Je m'aligne sur ces directives et entreprends les démarches immédiatement. Cela va prendre du temps, et le temps est un facteur qui nous dessert, à cause de la santé de Sara.

En gros, il faut contacter les principales compagnies d'assurances et espérer que je pourrai obtenir le renseignement : je ne suis qu'une mère sans pouvoirs.

Puis me mettre à la recherche d'un autre avocat. Comment vais-je le payer est la question sous-jacente : je ne suis pas dans un roman, mais dans une réalité où les gens mangent et vous envoient des factures.

Enfin, trouver l'information pour le mariage antérieur : où? en quelle année, sont autant de questions à résoudre pour pouvoir chercher dans le ou les registre (s). Les actes de mariage sont-ils centralisés? Je n'en ai aucune idée. Je ne peux pas demander à Léo qui m'avait renseigné. C'est un des leurs et cela contredit la ligne directrice à ne jamais oublier : «Ne faire aucune démarche qui risque de nuire à Sara.»

C'est Sisyphe et son rocher. Je me perds dans les arcanes des labyrinthes administratifs. Je perds aussi la voix à force d'essayer de convaincre les gens au téléphone. Et durant tout ce temps, Luc et Stan m'offrent un support moral sans faille.

En conclusion :

À ma connaissance, Tim n'a pas contracté d'assurance sur la vie de Sara.

Pour pouvoir établir une preuve de négligence criminelle il faudrait que l'avocat ait accès à des dossiers que ni lui ni moi ne pouvons obtenir car Sara est majeure, ou il faudrait avoir des témoins. Ce qui veut dire interroger des membres de la secte. Retour à la case départ : «Ne rien faire qui mette Sara en danger.»

Pour le certificat de mariage, j'abandonne car je ne trouve pas de registre centralisé et je n'ai ni le temps ni l'argent pour aller explorer tous les registres : Tim a pu se marier dans bien des lieux, et, comme je sais peu de choses de son passé, je suis dans un cul-de-sac.

J'ai tenu Luc et Stan au courant de l'avancement de mes démarches au fur et à mesure. Je les ai appelés souvent.

Aujourd'hui, nous avons fait le point.

Je me rappelle qu'à chaque conversation, cette petite phrase : « Si seulement on pouvait l'éloigner de Tim pendant quelques jours... » revenait toujours.

Plus facile à dire qu'à faire, n'est-ce pas ?

Quatre-vingt-dix pour cent des membres d'une secte qui ont l'occasion de s'éloigner pendant quelques jours du groupe et auxquels on peut fournir toute l'information [sur la secte] quittent l'organisation destructive (5).

Eh bien, nous y sommes, c'est la solution qui nous reste.

Luc m'aide à établir une stratégie :

– L'objectif est de donner à Sara la possibilité de passer quelques jours sans Tim.

– Comment peut-on faire ?

– J'y viens. Il faut que vous restiez dans la légalité, mais il faut que ce soit efficace. Dites-vous qu'il n'y aura pas de deuxième chance : si ça rate, ils la feront disparaître.

Venant d'un détective – un vrai, pas un détective de cinéma –, cela me fait froid dans le dos.

– Il faut que vous utilisiez un appât en or : vous lui racontez ce que vous voulez... Surtout, je ne veux pas le savoir... Mais il faut que ça marche. Est-ce que vous me comprenez ? Il faut que vous l'attiriez pour l'éloigner de Tim. Mais vous devez rester dans la légalité.

– Qu'est-ce que je peux trouver ? Qu'est-ce que je vais lui dire ? Ils ne sont pas naïfs !

– Vous lui racontez ce que vous voulez même si ce n'est pas vrai, du moment que c'est légal… Il nous arrive d'avoir à utiliser ce procédé et ça marche.

– Quoi ?

Je perds mon innocence.

– Pour rester dans la légalité, vous avez besoin qu'elle affirme devant deux personnes qu'elle veut venir avec vous et qu'elle n'agit pas sous la contrainte. Évidemment, dit-il en riant, ne comptez pas sur les membres de la secte pour témoigner !

Bravo, Luc ! L'humour désamorce la tension des situations dramatiques.

– Vous serez dans une situation tendue. Gardez votre sang-froid. Vous pensez en être capable ? Rappelez-vous, ne faites rien d'illégal, ne l'emmenez pas de force.

– Non, non, j'ai compris, ça ira.

– Si elle ne dit pas «oui» clairement et intelligiblement devant ces deux personnes, la secte vous accusera de kidnapping.

– Je me vois mal la traîner dehors contre sa volonté même si c'est pour son bien. Je ne peux pas tout faire pour elle; je veux lui offrir la chance de se reprendre et de se ressaisir. Lui donner une deuxième chance… Après, elle fera ce qu'elle voudra.

– Il faut que vous agissiez avec grande prudence. Il faut que vous arriviez par surprise. Il faut que vous agissiez très rapidement, mais légalement. Vous savez qu'il y a d'autres membres de la secte dans les appartements voisins; il ne faut évidemment pas que Tim ait le temps de les appeler à la rescousse… car si vous, vous restez dans la légalité, eux ne se gêneront pas.

– O.K.

– Essayez d'agir avec le plus de naturel possible tout en vous dépêchant. L'effet de surprise et la rapidité avec laquelle vous agirez sont très importants. Ne laissez pas

Tim lui parler longuement, sinon il va la convaincre de ne pas vous suivre. Rappelez-vous qu'elle est programmée et fonctionne comme un robot dont Tim tient les manettes. Tout va bien ? Pas de questions ?

– Non, non, ça va bien ; j'ai compris.

– Une dernière chose : ne dites à personne, absolument à personne, ce que vous allez faire.

– Promis.

– Choisissez un bon appât – surtout, je ne veux pas le savoir ! Pensez à quelque chose que Tim n'a pas pu détruire dans son cerveau. Je souhaite que votre fille ait encore suffisamment de lucidité pour saisir et comprendre ce que vous lui direz. Espérons aussi qu'elle aura la force physique de vous suivre.

– Merci. Je n'ai aucune idée comment elle va. Tous ces comas… les conditions dans lesquelles elle vit… elle doit être dans un état ! J'aime mieux ne pas y penser, sinon je n'aurai plus le courage…

J'ai lu que dans les sectes, *le maximum de dommages était fait dans les premiers mois (17)*. Et ça concerne des membres en bonne santé, pas des diabétiques !

– Vous réalisez bien, n'est-ce pas, que, si vous échouez, c'est elle qui va payer et payer durement.

– Oui, je m'en doute, et ça me tourmente…

– Êtes-vous toujours prête à prendre ce risque ?

– Oui. Si je la laisse dans le groupe, elle va mourir. Elle a eu au moins trois comas, sans doute quatre en huit mois, et elle ne survivra pas éternellement à ce type de traitement… Ce n'est qu'une question de jours. Et les conséquences des comas ? J'y ai pensé pendant des nuits entières : ses yeux, son cerveau… Si elle devient aveugle ou folle, vous croyez que la secte va la garder ? Elle est condamnée, alors autant tout tenter.

– O.K. Restez dans la légalité, et bonne chance !

Opération Sara

Tous les commerces affichent : «Fête des Pères, dimanche 21 juin.» Je n'ai pas de marées à calculer comme pour le jour J en 1945; n'importe quel jour est bon, n'importe quel jour est mauvais pour agir. C'est le petit coup de pouce qui me suffit pour décider de mon jour «J plus». Je décide de déclencher l'opération Sara pour ce jour-là. Et, après avoir bien réfléchi, j'ai trouvé l'appât. Chut! «Ne dites rien à personne.»

Où que tu sois, papa de Sara, aie une petite pensée pour nous.

Jeudi, j'ai appelé Jo à la rescousse :

– Jo, je vais la chercher.

– Bon, mais tu ne vas pas y aller seule. Je vais te faire accompagner. C'est dimanche? Parfait. Je t'envoie mes deux cousins. Ils sont jeunes, ils vont aller avec toi. L'un a une grande expérience des situations délicates, l'autre ne paye pas de mine, mais c'est un bon gars. Je te préviens, il est plein de tatouages : c'est un souvenir qu'il a ramené d'un pays lointain lorsqu'il était dans la marine.

– Tu es sûr que ce sont tes cousins?

Il rit.

– Ils ne font pas partie de la Mafia ou des Hells Angels? J'ai assez de problèmes comme cela, je n'en veux pas plus.

– Sois raisonnable, tu ne peux pas y aller seule. D'abord, tu m'as dit qu'il te fallait deux témoins : prends mes deux gars. Et puis qu'est-ce que tu vas faire pour le retour? T'occuper de ta fille d'une main et conduire de l'autre? Écoute, ils vont te conduire et ne te lâcheront pas d'une semelle. Si Tim fait cent kilos, comme tu me l'as décrit, tu ne fais pas le poids! Mon petit tatoué est maigre, mais il en a mis plus d'un par terre.

– Eh! je ne veux pas de bagarre. On n'est pas à la télé. De toutes façons, casser la gueule de Tim n'est pas la solution; tu sais comment les filles se mettent à être amoureuses des martyres.

– Crois-moi, ça va aller; ce ne sont pas des jeunots.

Dimanche 21 juin. C'est la journée la plus longue de l'année... Ô combien! Le temps est exceptionnellement chaud. Nous sommes sur la route et roulons en direction d'Otterton : Opération Sara. Il y a de la circulation : tout le monde va à Otterton pour la fête des Pères, ce n'est pas possible!

Les «cousins» sont nerveux : l'un, celui qui a l'habitude des situations délicates, conduit vite et double continuellement; l'autre, le tatoué avec queue de cheval, boucle d'oreille et sourire d'enfant de chœur, n'arrête pas de frapper avec son poing sur la paume de sa main gauche.

Il est midi et demi lorsque l'on arrive au centre-ville. J'ai la tête qui tourne. Les émotions? La conduite acrobatique? Allons déjeuner.

– Je vous remercie de m'accompagner. Je suis ici pour aller voir ma fille et, si elle veut bien, lui faire un brin de conduite. Nous nous sommes bien compris? Je ne veux aucun incident.

– T'inquiète pas, «maman». S'il ne me provoque pas, je me tiens tranquille, me répond le tatoué avec un sourire angélique.

– Ne vous inquiétez pas, madame, renchérit l'autre. Jo nous a prévenus. Nous suivrons vos directives. C'est normal que l'on vous fasse un brin de conduite pour rendre visite à votre fille. La famille, c'est sacré !

Nous roulons doucement, passons devant leur immeuble, allons plus loin, faisons demi-tour et revenons nous stationner en amont de leur adresse, le capot de la voiture pointé en direction du retour.

Sitôt descendus, les garçons ouvrent le coffre et vident leurs poches. Même sans expérience, je comprends vite : se débarrasser de ses papiers d'identité, c'est pour ne pas être identifié en cas de bagarre. Oh ! que je n'aime pas ça.

Sara, Sara, dans quel milieu t'es-tu perdue ?

Qu'est-ce que je fais ici, moi qui gagne ma vie avec ma tête et un crayon ?

– Pas de blague, les garçons ! Vous m'avez bien compris : je ne veux aucune menace, aucun geste violent. Vous me promettez ? Ça ne nous avancera à rien et c'est ma fille qui payera les pots cassés. Nous nous sommes bien compris ? Si ma fille n'accepte pas de venir avec moi, nous ne faisons rien, nous restons chez eux et nous bavardons.

– Espérons qu'il nous offrira un café pour le dérangement, répond l'un d'eux, narquois.

Je prends mon sac sur l'épaule. J'ai apporté mon appareil photo. Si Sara ne veut pas venir, j'aurai un souvenir d'elle.

Au pied du bâtiment, un type en tricot de corps, assis sur un cageot, une bière à la main, prend le frais. Il nous voit venir et nous suit des yeux. Il est assis à côté de l'entrée. La porte est étroite et nous pénétrons dans le bâtiment en file indienne. Il nous jette un regard par en dessous mais ne dit rien. S'agit-il du concierge ? Est-il un des leurs ? Que va-t-il faire ? Prévenir les autres ? Nous attendre à la sortie ? Nous sommes dans la souricière maintenant. Nous montons l'escalier en silence. L'appartement de Sara est au dernier étage, au fond du couloir. Je sais que d'autres membres de la secte habitent dans cet immeuble. Pourvu que l'un d'eux n'ait pas l'idée de sortir juste au moment où nous passons. Nous ne faisons rien de mal, mais je ne veux pas qu'une discussion dans l'escalier évente l'effet de surprise. Si Tim reconnaît ma voix, il n'ouvrira jamais la porte. J'ai le souffle court.

– Allez-y doucement, me chuchote un des cousins, prenez votre temps.

Nous y sommes. Un des cousins frappe à la porte, l'autre se met en retrait et se plaque contre le mur ; je fais de même. Tout ouïe, je retiens mon souffle. Qu'est-ce que les enfants ne vous font pas faire !

Pas de réponse.

Il hoche la tête négativement en m'interrogeant des yeux. Je lui fais signe de frapper de nouveau. Il cogne à la porte ; l'autre cousin jette un coup d'œil anxieux aux portes voisines. Il fait chaud.

Pas de réponse.

Nous tendons l'oreille : l'appartement est silencieux. Il hausse les épaules. Le cousin qui est à côté de moi expire : la tension tombe.

Il va falloir revenir. Ce n'est pas possible, il faut qu'ils soient là !

– Frappez encore.

J'appelle :

– Sara ! Sara ! C'est maman. Ouvre la porte !

J'entends remuer derrière la porte : il y a quelqu'un. Les cousins sont tendus. Je me sens prête à défoncer la porte, ce que je ne ferai pas évidemment, moi qui ne suis pas capable d'ouvrir un pot de confitures ni de tuer les criocères qui mangent mes lys.

– Maman ?

C'est sa petite voix !

– Oui, c'est maman, Sara. Ouvre la porte !

– Attends une minute, je ne suis pas habillée.

– Dépêche-toi ma belle, il faut que j'aille à la salle de bains.

Ce qui marche une fois, marche deux fois. Et puis j'ai la bénédiction de Luc.

Elle ouvre la porte.

Elle cligne des yeux comme un hibou éclairé par des phares de voiture et elle a l'air sonnée.

– Qu'est-ce que tu fais ici ?

J'ai l'impression d'arriver de la planète Mars.

– Mais, ma chérie, c'est l'été ! Ta sœur t'attend. Je suis venue te chercher, Anne a besoin de toi. Elle t'attend.

Elle me regarde, l'air abruti. Comprend-elle ce que je lui dis ?

– Sara ! Anne t'attend, le bébé est né, elle a besoin que tu l'aides. Tu n'as pas reçu sa lettre ?

Je scande mes mots pour essayer de les faire pénétrer dans son cerveau embrumé. Ça y est, elle se réveille, elle comprend.

– Ma sœur m'attend ? Quand ? Maintenant ?

– Tout de suite. Tu prends l'avion.

Elle voit les garçons qui attendent patiemment sur le pas de la porte.

– Ce sont les cousins de Jo qui m'ont conduite jusqu'ici.

Elle n'est pas surprise, elle leur sourit et dit : « Hello ». Elle leur fait signe d'entrer et referme la porte derrière eux.

Elle réfléchit.

– O.K. Je viens. Je prends trois affaires. Tu m'attends ?

Aussi simple que cela.

Tim surgit.

– Salut, Tim. Voici les cousins d'Anne.

Zut ! Je me suis mêlé les pinceaux : je suis nulle pour raconter des bobards. Saint Luc, priez pour moi !

Les cousins d'Anne, les cousins de Jo... Sara s'en moque !

Ils se serrent la main. Je vois le regard de Tim qui s'attarde sur les tatouages du cousin. Est-ce que ça a une signification particulière ?

Tim a l'air ébahi : ou il est encore endormi ou il n'en croit pas ses yeux.

J'ai fait le mort depuis qu'il m'a menacé : je n'ai ni écrit ni téléphoné à Léo. Pensait-il qu'il avait gagné ? Il faut se méfier de l'eau qui dort, Tim !

Je lui fais un signe du doigt :

– Venez ici, Tim, je veux vous parler personnellement.

Et il me suit, moi, petite bonne femme ; j'escalade par-dessus les matelas qui sont directement posés sur le sol et l'emmène dans un coin de la pièce. Il s'assied lourdement sur une chaise et s'accoude sur le coin de la table. Je reste debout devant lui, pas trop près. Je ne suis pas si rassurée que ça !

– Que signifie cette attitude, Tim ? Est-ce une façon de faire ? Est-ce qu'on menace une mère de ne plus jamais revoir sa fille ? Ça ne se fait pas. Vous aviez perdu la tête ou quoi ? Vous aviez bu ? Qu'est-ce qui vous a pris ? Comment avez-vous osé ? Je vous invite à la maison et c'est comme ça que vous me remerciez ? Ça ne va pas la tête ? On n'empêche pas une mère de voir sa fille ! Et puis on ne menace pas de tuer sa belle-mère !

Tim, en bon petit garçon, baisse la tête sous la réprimande.

Pendant quelques instants, je me vois comme acteur dans la scène et si la situation n'était pas si dramatique, de mon siège de spectateur, je rigolerais :

«Mais, c'est ridicule ! Te vois-tu en train de donner une leçon de bonnes manières à une espèce de brute qui a promis de te découper ?»

En fait, j'ai agi instinctivement, dirigée par le bons sens tout simplement : plus j'occupe son attention, moins de temps il aura pour s'opposer au projet de Sara.

Tim a relevé le nez, il bougonne :

– Je ne bois plus depuis trois ans.

Il voit Sara qui fait des allers et retours entre la salle de bains et le placard de sa chambre, les bras chargés de vêtements. Il a vite compris. Son visage se durcit et il ressemble à un taureau prêt à foncer.

Je me carre, les pieds légèrement écartés. C'est curieux le langage du corps qui vous vient spontanément.

– Sara, tu ne peux pas t'en aller comme ça !

Il a la voix dure et autoritaire.

– Il faut d'abord que tu demandes l'autorisation au Seigneur.

Sara s'arrête, ne le regarde pas en face, mais dit :

– Si ! Ma sœur a besoin de moi : j'y vais.

L'amour entre sœurs : quelle force !

O.K. Cher Luc, cela fait deux fois qu'à haute voix elle a affirmé qu'elle voulait venir : les cousins, moi-même et Tim, nous l'avons entendue. Nous sommes en règle avec les aspects légaux.

– Sara, viens, nous avons besoin de parler.

Elle se tient loin de lui et ne répond pas.

Va-t-il la retenir de force ? Que ferons-nous ? Je garde les yeux fixés sur Tim. J'entends les petits pas de Sara.

Un des cousins intervient :

– Alors, tu te décides à venir «Maman» ? On t'attend !

Nous partons. Je sens les yeux de Tim dans mon dos. Nous passons la porte. Sara stoppe net.

– J'ai oublié mes lunettes !

Je me retourne et vois la paire de lunettes sur la table à côté du coude de Tim. Oh ! non. Je suis changée en statue de sel. Un des cousins intervient avec à-propos :

– Tu en as une autre paire à la maison.

Fameux, ces cousins ! Merci, Jo. Mais ma fille est têtue, nous le savons. Elle se dirige tranquillement vers la table, vers Tim. Je la suis. Dès qu'elle arrive à sa portée, Tim la saisit par le bras au-dessus du coude et oblige Sara par une traction à le regarder. Il approche sa figure près de la sienne.

Ses yeux ! Oh ! ces yeux ! Que voit Sara dans ces yeux ? Va-t-il nous l'hypnotiser tout de go ainsi ?

– Sara ! Tu ne t'en vas pas, dit-il d'un ton péremptoire mais monocorde, tu ne feras rien sans demander à Dieu.

– Si, elle s'en va, je lui réponds. Elle va voir sa sœur.

Tim devient enragé. Je sens l'électricité dans la pièce. (J'avais toujours cru que ce n'était qu'une figure de rhétorique.) Ne pas perdre son sang-froid.

Les cousins sont restés sur le pas de la porte. L'un d'eux dit :

– Qu'est-ce qui se passe, Tim ? Il y a un problème ?

Le cousin cherche à désensibiliser la situation : pas d'étincelles. Je l'imite :

– Où est le problème, Tim ? Elle part en vacances pour une semaine. Vous voulez l'accompagner ? Vous voulez venir avec elle ? *Ce n'est pas vraiment ce que j'ai prévu.* Qu'est-ce qui se passe, Tim ? Vous savez où j'habite, vous avez mon numéro de téléphone…

(Ce triste sire a utilisé la carte d'appel que j'avais donnée à ma fille et c'est moi qui ai dû payer la facture du coup de téléphone de menaces.)

Le cousin intervient avec une voix d'adjudant :

– Alors, vous venez, vous deux ? On va vous attendre longtemps ?

Sara échappe à l'emprise et nous nous dirigeons vers la porte. J'essaye de marcher normalement, même si j'ai envie de prendre mes jambes à mon cou. L'escalier me paraît sans fin. Je marche derrière Sara comme une somnambule. Pourvu que Tim ne me fonce pas dans le dos! Je suis un bien maigre rempart.

La porte d'entrée de l'immeuble... Le soleil... La liberté de la rue.

Le gardien interpelle Sara :

– Où vas-tu, Sara?

Elle lui rétorque sans s'arrêter :

– Je vais chez ma sœur. Bye!

La porte de la voiture n'était pas fermée à clef, le siège avant était rabattu, Sara n'a qu'à se glisser dans la voiture. Je m'assieds à côté d'elle.

Je la regarde : enfin!

Elle a le visage gris cadavre et d'immenses cernes noirs sous les yeux qui lui dévorent la figure.

«Ma fille sort d'un camp de concentration.»

Les images se superposent : elle a le même regard vide, perdu, fixe, que les victimes de l'Holocauste à la sortie des camps. La seule différence : elle est grasse, ils étaient squelettiques.

– Maman, pourquoi tu me regardes comme ça?

– Ma chérie, si tu ne parlais pas, je croirais que tu es morte.

Le cousin conduit nerveusement. Il a déboîté rapidement devant le nez d'une voiture qui arrivait. Le conducteur, furieux, klaxonne, nous double, fait un bras d'honneur et s'arrête pile devant nous. Nous sommes en face du foyer d'accueil où je sais que Tim va régulièrement. C'est une rue où il a beaucoup de «frères». Ce n'est ni le moment ni l'endroit d'avoir un accrochage. Nous sommes en pleine ville. Sara connaît le quartier, connaît des gens. Si elle veut descendre et retourner à l'appartement, je ne pourrai rien faire.

Sara regarde par la vitre; elle est muette. Réfléchit-elle?

Rien ne se passe. Nous démarrons, pour être arrêtés trois pas plus loin par un feu rouge.

Sara est silencieuse, elle regarde dehors, les yeux vides. Nous passons devant un magnifique hôtel à l'architecture imposante où son père nous avait emmenées autrefois. Le reconnaît-elle? Est-ce que cela lui rappelle des souvenirs heureux? Une expression fugace passe dans son regard, elle se tourne vers moi et éclate en sanglots. Je l'entoure de mes bras.

– Maman, Maman, heureusement que tu es venue! J'ai prié Dieu hier pendant des heures pour qu'il m'envoie un signe et, tu vois, tu es venue. Maman, j'ai besoin que tu m'aides.

Elle est prise de tremblements. Je lui caresse la tête, j'ai les larmes aux yeux. Ce n'est pas le moment de flancher.

Nous roulons sur l'autoroute et le cousin conduit vite. Les fenêtres sont grandes ouvertes, il fait très chaud dehors et le vent tiède sèche ses larmes.

– J'ai encore été à l'hôpital, j'ai fait un autre coma.

– Encore! Il y a combien de temps? Combien de comas as-tu eus en tout?

– Heu!... Je ne me rappelle pas exactement, trois... ou quatre.

Elle est livide. Je tiens dans mes bras un cadavre chaud. Son élocution est brouillée et lente : elle est en train de couler. Son cœur? Le choc? Trop de souffrances? J'espère qu'elle ne va pas me filer entre les doigts comme ça. Il faut lui parler, la garder éveillée.

D'une voix douce, je lui parle d'Anne, du bébé, de mon jardin, de Jo, de souvenirs d'enfance, des voisins… Tout y passe pour qu'elle n'abandonne pas. Elle écoute vaguement, bercée par la voix maternelle et le ronronnement de la voiture. Peu à peu, son visage s'anime, passant du gris mat au gris semi-brillant. Elle se redresse : j'ai les bras ankylosés.

– Je ne veux pas aller en enfer, dit-elle d'une voix tremblante.

– Tu as tué quelqu'un ?

– Non… Je ne crois pas.

– Écoute, j'ai une foi qui est peut-être bien simple, mais si tu n'as pas tué, tu n'iras pas en enfer.

– Maman, est-ce que tu vas me faire enfermer chez les fous ?

– Quoi ?

– Tim m'a dit que tu allais me faire enfermer.

Sale type ! Menteur ! Je le hais.

– Ma chérie, est-ce que tu me vois, moi, chez les fous ?

– Non.

Elle sourit.

– C'est simple : si je n'y vais pas, tu n'y vas pas.

Je dois la rassurer comme on rassure une toute petite fille. J'ai l'impression de parler à une enfant de six, sept ans. Elle n'est pas bien.

Qu'est devenue la brillante jeune fille qui est partie gaiement à l'université par cette même route que nous faisons aujourd'hui dans l'autre sens ?

Elle est comme un petit animal apeuré. L'apprivoiser. Elle cligne des yeux lorsqu'elle regarde le paysage comme si la lumière la gênait. Est-elle restée enfermée dans le noir ou est-ce une des conséquences de ses comas ? Elle est visiblement épuisée. Je continue à lui parler comme je lui parlais quand elle était petite. Ne pas la fatiguer.

– Où veux-tu que nous allions manger ce soir? On va aller au restaurant. Qu'est-ce qui te ferait plaisir?

– Je veux manger une pizza...

Puis elle rit nerveusement.

– Une fois, il a voulu prendre mon morceau de pizza et je l'ai repoussé par terre. Il a dit que je lui avais cassé le dos.

Des chiens qui se battent pour une pizza.

Arrivée à la maison, tout la surprend. Il n'y a que huit mois qu'elle a quitté ces lieux familiers et il n'y a pas eu de changements majeurs. Le soleil, le jardin regorgeant de fleurs, la légère brise qui nous apporte l'odeur entêtante de gourgandines parfumées que les pivoines et les iris exhalent, tous ces parfums, cet air, cette liberté la saoulent. Elle rentre vite se terrer à l'intérieur de la maison : elle cherche la sécurité de l'ombre. A-t-elle été séquestrée?

Nous sommes dimanche après-midi et il faut que je lui trouve un siège sur un vol partant demain pour une destination populaire de vacances.

Sara, nerveuse, tourne autour de moi. Elle marche avec difficulté comme si ses jambes étaient trop lourdes. Elle n'a pas dû souvent sortir. Quelle horreur pour une diabétique!

Je la rassure :

«J'appelle pour ton billet... Tu vas voir Anne demain...»

Et elle se détend à chaque fois qu'elle entend ma voix. Cela ne dure que quelques instants.

Les vols sont pleins.

– J'ai une place de libre le 17 juillet, me dit l'employée de la compagnie d'aviation.

– S'il vous plaît, c'est un cas très urgent, trouvez-moi une place le plus tôt possible.

Elle finit par trouver un siège en classe affaires (horriblement cher) sur le premier vol de demain lundi. À sept heures vingt, avec un changement à Halifax. Je le réserve immédiatement. Nous prendrons le billet à l'aéroport en arrivant.

– Et pour le retour?

Je regarde où est Sara. Je ne la vois pas : elle doit être en haut. Je ne fais ni une ni deux : elle a bien besoin de vacances au bord de la mer…

– Dans deux semaines.

Payer, maintenant. Je donne le numéro de ma carte de crédit. J'ai atteint la limite de mon crédit; je cours le risque, espérant qu'ils n'iront pas vérifier tout de suite et que j'aurai le temps de régler ce problème demain.

Il faut que je prévienne Anne, qui n'est absolument pas au courant des derniers événements. J'attends que Sara aille à la salle de bains et je compose le numéro d'Anne. Par chance, elle décroche au deuxième coup : Bébé dort et elle ne veut pas que la sonnerie le réveille. Je lui donne de brèves explications… Elle comprend immédiatement et assume son rôle avec brio. J'entends les pas de Sara dans l'escalier :

«C'est Anne, ma chérie».

Je lui passe le combiné.

Sara l'écoute et un délicieux sourire illumine sa figure.

Je les laisse : c'est la première fois qu'elles se parlent depuis huit mois.

Bravo, Anne chérie, et merci de ton grand cœur.

Je vais rejoindre les cousins qui sont en train de prendre une bière dans le jardin. Ils ont bavardé pendant le trajet et j'ai compris que l'un d'eux est au chômage. Je glisse une enveloppe dans sa poche :

– C'est juste une façon de vous dire merci, mais ce que vous avez fait pour Sara et moi n'a pas de prix. Au moins, vous n'aurez pas complètement perdu votre journée...

Il se recule, gêné :

– S'il vous plaît, vous ne nous devez rien. On a été heureux si on a pu vous aider un peu. Elle est jolie, votre Sara, faites bien attention à elle... et prenez aussi soin de vous. Vous savez comment nous rejoindre; si vous avez besoin de nous, n'hésitez pas, on recommencera avec plaisir.

Honnêtement, j'espère vivement ne jamais avoir à recommencer.

Je vais rejoindre Sara qui est en train de farfouiller dans les affaires qu'elle a emportées avec elle.

– Maman, tu peux me prêter un soutien-gorge? J'ai été tellement vite...

– Est-ce que tu as ce qu'il te faut comme médicaments?

– Je ne les ai pas oubliés, j'ai emporté tout ce que j'avais, mais je n'en ai plus beaucoup...

Ce qui veut dire en langage clair : je n'en ai plus du tout. Comment se fait-il? Tous ses médicaments et l'insuline étaient pris en charge par les services sociaux. Ce n'est pas le moment de poser de questions; il faut que nous trouvions de l'insuline et tout le bataclan rapidement. Elle doit faire sa piqûre avant le souper; nous n'avons pas de temps à perdre.

Direction : son ancienne pharmacie. Le pharmacien de garde ce dimanche soir est âgé. Il finit par retrouver l'ancienne ordonnance de Sara sur l'ordinateur :

– L'ordonnance est expirée, madame; il faut que vous la fassiez renouveler par votre médecin, ânonne-t-il, assis derrière son comptoir.

– Voyons donc! Le diabète insulino-dépendant, ça ne disparaît pas comme ça.

– Je comprends bien, madame, mais c'est la règle. Allez voir votre médecin demain ou appelez-le. Il ne faut pas attendre comme cela le dernier moment pour renouveler vos médicaments. Je peux vous donner une fiole d'insuline pour vous dépanner ce soir, mais c'est tout.

– Docteur, j'ai besoin de tout immédiatement : l'insuline, les seringues, les lancettes, les bandelettes pour tester le sucre, le «glucagon», les «synthroïdes», et un nouvel «Inject-Ease», tout! Nous sommes dans une situation bien spéciale...

Je m'entends parler d'une voix chevrotante. Sara reste collée à moi. Je ne peux pas lui dire tout haut :

«Ma fille vient de s'échapper d'une secte...»

Il se lève et me regarde attentivement... J'aperçois un nom juif d'Europe centrale sur sa barrette. Je le regarde dans les yeux, essayant de lui faire passer un message muet. Va-t-il comprendre? Va-t-il passer outre à la procédure? Nous n'avons dépassé la date limite que de trois jours.

Il soupire, baisse la tête et dit :

– Je vais tout vous donner, mais allez voir votre médecin demain.

Autre temps, autre pays, même situation.

Je paye encore avec ma carte de crédit : ça passe. Je commence à croire aux miracles!

Munies du nécessaire vital, nous allons à la pizzeria. Sara a commandé une pizza toute garnie «extra-large». Je la regarde dévorer avec voracité.

– Ce n'est pas trop? Tu ne vas pas être malade? N'oublie pas que tu voyages en avion demain matin.

– Elle est super, Maman; c'est bon... Ça fait si longtemps que j'avais envie d'une pizza.

Je m'autorise à poser une question «innocente» :

– Vous ne mangiez pas souvent de pizza?

– Non, on n'avait pas d'argent.

– Tu ne recevais pas les allocations sociales?

– Qu'est-ce que tu crois? C'est Tim qui gardait mon chèque. Il me donnait juste un *quarter*, une pièce dans ma poche, c'est tout.

Ça se passe de commentaires.

Elle arrive au bout de sa pizza.

Il fait nuit lorsque nous rentrons; l'air est doux. Cela me rappelle les retours «d'avant»... Le bonheur peut-il revenir?

Je donne ma chambre à Sara. J'ouvre mon placard de vêtements et lui dis :

– Sers-toi, prends tout ce que tu veux; il peut faire chaud chez Anne...

Ravie, elle se jette sur les vêtements :

– Tu me laisses, que je puisse les essayer?

Je vais en bas vérifier si toutes les portes et fenêtres sont bien fermées. Je me fais un lit de fortune sur le canapé du salon.

Sara pourra laisser la fenêtre ouverte dans ma chambre au premier étage, elle aura plus frais.

Au bout d'un certain temps, je monte et frappe à la porte. La chambre est indescriptible. Il y a deux montagnes de vêtements par terre : ceux qui vont et ceux qui ne vont pas. Elle a trouvé une valise et a empilé dedans, n'importe comment, ceux qu'elle emporte. Elle a l'air encore plus épuisée : on ne voit plus que ses immenses cernes noirs.

– Couche-toi, ma belle; on va se lever tôt demain.

Je la laisse tout heureuse à l'idée de son voyage.

Mal installée sur le canapé du salon et énervée par les événements de la journée, je n'arrive pas à m'endormir.

Minuit. J'entends des pas. C'est Sara qui descend doucement l'escalier. Va-t-elle à la cuisine se chercher un verre d'eau? Les nuits de juin sont si chaudes... Je la suis des yeux. Dans la pénombre, je vois qu'elle est habillée. Elle se dirige vers la porte d'entrée :

– Sara? Ça ne va pas? Tu as besoin de quelque chose?

Elle vient vers moi.

– Maman...

Sa voix est différente, grave. A-t-elle trop parlé en voiture avec la chaleur?

J'allume.

Elle est tout habillée, avec un petit sac à la main. Elle s'en allait comme ça, sans argent? Elle tremble de tous ses membres. Je me doute bien que cette fois-ci, il ne s'agit pas d'une hypoglycémie : avec toute la pizza qu'elle a mangée... Sa figure est livide et elle tremble, tremble... Elle s'affaisse dans le «fauteuil de papa», comme nous continuons à l'appeler. Je m'assieds en tailleur à ses genoux et lui prend les deux mains : elles sont glacées. La pauvre petite...

– Maman, Maman, articule-t-elle avec difficulté, la voix grave, je ne peux pas aller chez ma sœur... Il faut que je retourne chez Tim... Je ne peux pas aller chez Anne... Il faut que je retourne chez Tim...

Elle a la figure angoissée. Elle ressemble à un Gréco.

Elle est en train de me dire qu'il faut qu'elle retourne vers son martyre : elle est folle! Non, elle n'est pas folle, elle est programmée. C'est horrible!

– Sara, ça va aller; tu pars en vacances; tu vas aller voir Anne : elle t'attend. Ton billet est pris, je ne peux pas le rendre...

– Si tu peux le rendre! Si je ne retourne pas chez Tim, je vais aller en enfer, et elle crie :

– Tu vas mourir et le bébé d'Anne va mourir.

C'est comme si elle me jetait un sort. Puis sa voix change et, avec toute l'angoisse du monde, elle dit :

– Je ne veux pas aller en enfer, je ne veux pas que tu ailles en enfer…

Elle appelle au secours :

– Maman, Maman !

Il faut qu'elle se calme. Ses mains sont toujours aussi glacées ; je les frotte pour essayer de les réchauffer. Assise à ses pieds, je lui parle doucement :

– Sara, quand Dieu a fini de créer le monde, Il s'est reposé le septième jour. Il était fatigué. *C'est une interprétation libre, mais l'idée est là.* Toi aussi tu as le droit de prendre des vacances. Tu es très fatiguée, tu as besoin de te reposer. Anne t'attend. Tim sait où tu es et avec qui tu es. Il est d'accord. *Hum!* Écris-lui un mot, je le posterai.

Peu à peu, la voix calme de maman surmonte la folie et la terreur s'éloigne.

Elle se laisse bercer par le son de la voix. Elle tremble moins. Sa respiration reprend un rythme normal. Ses mains se réchauffent. Elle reprend figure humaine.

– Sara, si tu veux faire comme Mère Teresa, *à ce nom, sa figure s'illumine*, tu dois être en bonne santé. Tu sors d'un troisième coma, il faut d'abord te remettre. Tu ne seras utile à personne, si tu es malade. Prends ces quelques jours de vacances. Tu fais bien, tu vas pouvoir aider ta sœur.

Elle m'écoute.

– Tu pourras me reconduire à Otterton après, parce que je n'ai pas d'argent. Tu promets ?

Elle a repris sa voix habituelle.

Je promets. Ça me fait mal au cœur.

Elle remonte se coucher. Elle s'endort comme un bébé.

Je passe une nuit blanche.

À l'aube, je me lève courbaturée et nauséeuse. Je vais la réveiller : elle est blanche, fatiguée, énervée ; elle n'a pas faim. Nous partons.

Elle me laisse une lettre à poster pour Tim.

Au guichet, Sara semble tellement lasse et malade que je demande à l'hôtesse l'autorisation de l'accompagner jusqu'à la porte d'embarquement.

– Elle a quel âge? me demande-t-elle en regardant Sara.

– Vingt-trois ans.

L'hôtesse me fixe, une interrogation dans les yeux. Je ne peux rien dire.

– Allez-y.

Les couloirs sont longs. Sara traîne un sac de voyage qu'elle a trouvé dans mes affaires, chargé jusqu'à la gueule. Il paraît qu'il contient l'indispensable. Ankylosée et fatiguée, elle marche avec difficulté. Moi-même, j'ai la tête «comme une citrouille».

Nous arrivons enfin au satellite indiqué. Malgré l'heure matinale, les boutiques sont ouvertes. Sara ne veut toujours rien manger. Il n'y a plus qu'à attendre dix minutes. Je commence à me détendre.

Les minutes s'égrènent. L'avion a du retard.

– Tu es sûre que tu ne veux rien manger?

– Non, j'ai mal au cœur.

Le personnel d'accueil s'agite, téléphone et apprend aux passagers qu'un incident indépendant de leur volonté les oblige à annuler le vol. Le prochain vol partira à onze heures vingt.

Ce n'était pas aujourd'hui qu'il fallait que ça arrive! Sara se sent malade. Je suis inquiète : qui me dit qu'elle ne va pas changer subitement d'avis? Va-t-elle faire une crise d'hystérie? Va-t-elle courir vers un agent et faire une scène tout haut, en hurlant qu'elle ne veut pas aller chez sa sœur, qu'elle veut retourner chez son mari? Elle est imprévisible. Je crains aussi qu'elle ne s'évanouisse de fatigue.

Aller convaincre un policier que ce que dit votre fille adulte est le résultat des techniques de manipulation mentale qu'elle a subies ou plus simplement qu'elle est un robot manipulé de loin, c'est inenvisageable.

Je vais voir l'hôtesse.

– Vous pouvez toujours essayer sur telle compagnie en «liste d'attente»; le matin ils ont souvent quelques places de libres. L'avion décolle dans dix minutes. Dépêchez-vous!

La porte d'embarquement est exactement à l'autre bout de l'aéroport. Je prends son sac : il pèse une tonne. Nous refaisons le même chemin en sens inverse, puis suivons d'autres couloirs. Sara marche avec difficulté. Je regarde son visage livide avec anxiété, m'attendant à chaque instant à ce qu'elle s'affaisse.

Lorsque nous arrivons, l'embarquement a commencé, mais la salle est encore pleine de monde. Je me dirige tout droit vers l'agent :

– Ma fille est en classe affaires. S'il vous plaît, pouvez-vous l'embarquer? C'est une urgence.

– Mettez-vous sur le côté. Ce sont tous des urgences! Donnez-moi sa carte d'embarquement.

L'agent appelle les noms. Ce n'est pas le sien. Un autre nom... Encore un autre... J'entends l'agent qui dit : «Il nous reste un siège.» Il appelle. Mon voisin se lève et se dirige vers la porte d'embarquement.

Je crie : «Monsieur! Monsieur!»

Croyant avoir oublié quelque chose, il se retourne.

– Monsieur, s'il vous plaît, laissez-lui votre place, je vous en supplie, elle sort d'un coma diabétique. S'il vous plaît, laissez-lui votre place...

La situation est pour le moins inhabituelle sur ce type de vol qui transporte plus des hommes d'affaires que des gens qui essayent de sauver leur peau.

Il regarde Sara, me regarde. Voit-il le désespoir d'une mère?

D'un geste paternel, il me tapote l'épaule et, tendant sa carte d'embarquement à Sara, il dit :

– Si c'est pour une bonne cause, allez-y.

Incroyable ! Merci, mon Dieu.

Les yeux brouillés, je la vois partir. Je me détourne sous le regard attentif de l'homme au grand cœur. La tête basse, je me dirige vers une salle de bains et là, j'éclate en sanglots.

Sitôt arrivée à la maison, j'appelle Luc. Il est toujours aussi calme, je suis surexcitée. Nous passons en revue tout le scénario depuis le début : les cousins, les paroles, les gestes... Il vérifie plusieurs détails.

– Bon... bon... Il faut espérer que ces quelques jours sans Tim vont lui faire du bien. Vous l'avez laissée voyager seule ?

– Mais oui. J'espère que tout ira bien. Elle est épuisée. Espérons qu'elle ne se trompera pas à Halifax.

Il ne dit rien, mais je comprends que ce n'était pas la bonne stratégie. C'est mon premier cas, flûte ! Je ne suis qu'une mère qui fait ce qu'elle peut !

– Bon, appelez-moi quand elle sera arrivée chez sa sœur. Tant qu'ils sont dans la secte, ils n'ont aucune chance... Arriver à les faire sortir est une des étapes les plus difficiles à cause de toutes les phobies qui leur ont été inculquées : « Si vous sortez, vous allez en enfer; si vous sortez, votre famille meurt... » Ils sont complètement conditionnés. Ils sont prisonniers d'eux-mêmes.

– J'en ai eu un aperçu cette nuit.

– Allez, cette étape est terminée. Donnez-moi de ses nouvelles.

– Un très grand merci pour votre aide.

– Je n'ai rien fait. Bonne chance.

Dans les Maritimes

En fin d'après-midi, Anne m'appelle : sa sœur est bien arrivée.

– Elle a besoin de vacances. Qu'est-ce qu'elle a changé ! Elle est arrivée sans problème. Je l'ai installée dans la chambre du bébé et j'ai pris Mat' avec nous. Ça va aller. Je te rappelle demain.

C'est court : je pense qu'elle ne peut parler librement.

Pourvu que ces quelques jours de paix fassent du bien à Sara. Je me dis qu'elle aura les idées plus claires quand elle aura récupéré physiquement. Et quoi de mieux que l'air marin, l'ambiance des vacances et l'affection de sa sœur ?

Anne, la fidèle, m'appelle régulièrement tous les soirs. Elle attend pour ce faire que sa sœur prenne sa douche.

– Ça va assez bien, mais, tu sais, elle a beaucoup changé. Elle agit comme une toute petite fille, et puis elle est toujours en manque d'affection et nous devons la serrer dans nos bras quarante fois par jour. Elle a même fait ça avec une de mes amies qui était passée nous voir. À part ça, elle dévore, elle n'est pourtant pas maigre. On a dû aller refaire le plein du frigidaire.

– Je te remercie de tout ce que tu fais ; je vais mettre un peu d'argent sur ton compte ; dis-moi bien si tu as besoin d'autre chose.

– Je n'ai besoin de rien, Maman. Je suis tellement contente que Sara soit ici.

– Comment se passent les journées?

– Pas mal. Hier, on l'a emmenée à la plage. Si tu l'avais vue! Je ne la reconnais pas. On n'était pas arrêtés, qu'elle a ouvert la portière, a dévalé la dune et s'est précipitée dans l'eau. Elle sautait de joie : elle avait l'air si contente! Après, elle a passé toute l'après-midi à s'éclabousser : une petite fille heureuse... Demain, on va l'emmener dans un parc d'attraction.

– Est-ce qu'elle a meilleure mine?

– Oh! oui, ça va beaucoup mieux, elle commence à avoir du rose aux joues, mais elle est dans un état de nerfs! Subitement, tu ne sais pas pourquoi, elle éclate en sanglots... Je la câline et puis ça passe.

– Merci infiniment, ma chérie.

– Il est arrivé un drôle de truc avant-hier. Nous nous promenions en ville quand subitement elle s'est arrêtée et a été prise de tremblements. J'ai pensé à son sucre, mais ce n'était pas ça. Elle s'est mise à «déparler». Je ne comprenais rien, ce n'était ni du français ni de l'anglais. Elle a murmuré quelque chose comme «homme... pas regarder... péché». Puis après, des sons de fou. Elle ne me voyait plus, elle avait le regard fixe. J'étais bien, avec le bébé et ma sœur qui devenait dingo!

– Qu'est-ce que tu as fait?

– Qu'est-ce que tu voulais que je fasse? Rien du tout. J'ai attendu qu'elle revienne sur terre; ça n'a pas été très long, deux minutes peut-être. Quand la crise a été finie, je lui ai demandé si ça allait et je lui ai fait boire un verre d'eau, on était devant un café. On a continué la journée comme prévu : je l'ai emmenée manger dans un petit «boui-boui» au bord de l'eau. Tout a bien été, ça n'a pas recommencé.

Ah! la brave Anne! Je l'imagine prise entre le bébé et une sœur en transe.

– Est-ce qu'elle a essayé de téléphoner à quelqu'un ou est-ce qu'elle a posté des lettres?

– Non, je ne pense pas.

– Personne n'a essayé de vous contacter?

– Non, pas pendant que j'étais là. Maman, ça m'ennuie de te le dire, mais je pense que Sara ne va pas bien, je crois qu'elle est malade.

– Tu fais bien, ma chérie, tu fais bien; essaye de ne pas trop t'inquiéter, je m'en occupe. Je suis à la recherche de quelqu'un qui connaîtrait «ça» et qui pourrait l'aider.

J'entends le bébé pleurer au loin.

– Attends une minute, Maman, je vais le chercher.

Elle revient.

– Tu as les mains pleines avec ton bébé et Sara! Comment est-elle avec le bébé?

– Elle l'adore. Elle aime le câliner et elle lui fait plein de petits baisers. Mat' est aux anges!

– Tu fais attention quand même.

– Oh! oui. Mon bébé, c'est sacré. Je ne les laisse jamais seuls.

Un moment de silence, et Anne reprend, la voix chagrinée :

– Tu sais, elle en a vu de dures, la pauvre. Elle a fait trois fausses-couches, m'a-t-elle dit, et ils n'ont pas voulu la laisser aller à l'hôpital, sous prétexte que «son devoir était de prêcher dans la rue, en bonne comme en mauvaise santé». C'est une bande de fous! Comment ma sœur a-t-elle pu les croire? Et puis son gars, c'est le plus cinglé de tous. Il l'a violée plusieurs fois, même juste après ses fausses-couches, tellement il était furieux qu'elle ait perdu le bébé.

C'est ignoble! Je ressens la souffrance de ma fille.

– J'espère qu'elle n'est pas enceinte...

– Quand elle a fait sa crise, je le lui ai demandé. Elle dit qu'elle ne pense pas, mais qu'elle ne se souvient pas de sa dernière date.

– On verra bien. Avec tous les chocs et toutes les souffrances qu'elle a subis, il y a de quoi vous bousculer un système.

Anne chuchote rapidement :

– Il faut que je raccroche. Excuse-moi. À bientôt ! Je t'embrasse.

Depuis que j'ai laissé Sara à l'aéroport, j'ai téléphoné tous azimuts pour essayer de trouver quelqu'un qui puisse l'aider psychologiquement. Ce n'est pas facile. J'ai écouté toutes sortes d'avis et j'ai recueilli de l'information. J'en déduis, après avoir fait le tour de la question, qu'il faut que Sara rencontre en premier un *exit-counselor*.

Pour finir, c'est le professeur Stan qui me donne un nom. Il s'appelle Marc, c'est un ancien «cultiste», il a été dans une secte; il a donc une expérience prise sur le vif de la secte et des bouleversements de l'après-secte. Il a un emploi régulier, mais il fait aussi de l'*exit-counseling*. Je lui ai parlé longuement. Il a l'air d'avoir beaucoup d'expérience, être sensible et bien organisé. Il semble correspondre aux besoins de Sara. Il est aussi libre la deuxième semaine de juillet. Nous ne pouvons tarder.

J'appelle Jo pour en savoir plus :

– Est-ce que tu le connais ? Qu'est-ce qu'il fait exactement ?

– Je ne le connais pas personnellement, mais j'en ai entendu parler : il a une excellente réputation. Il pratique ce que le nom indique : il aide, il donne de l'information aux personnes qui sortent des sectes. Sa spécialité, ce sont ceux qui quittent les groupes extrêmement exigeants. Il a la réputation de ne pas se servir de méthodes brutales : il intervient de manière non coercitive. Est-ce que tu comprends ce que ça signifie ?

– À peu près. Marc m'en a beaucoup parlé. Il m'a bien dit qu'il n'accepterait pas que Sara soit l'objet de pressions ou de contraintes de qui que ce soit, même de sa famille, même si c'est pour son bien. Je peux te dire que ça m'a rassurée. On entend tellement de choses ! Je ne veux pas qu'on lui fasse du mal ou qu'on la bouscule ; elle n'est pas folle, elle a besoin d'aide. Marc a été très ferme sur la façon dont il voulait que la rencontre se passe. Il a bien précisé que « si la famille contraignait la personne en sa présence, il quitterait la pièce immédiatement et ne reviendrait que lorsque l'entretien pourrait continuer de manière décente ». Les *exit-counselors* ont dû avoir pas mal d'ennuis car toutes ces conditions d'éthique de l'intervention sont inscrites, noir sur blanc, sur le contrat que je dois signer.

– Bon, ça c'est très rassurant. Je te dis, il a une excellente réputation.

– Moi, au téléphone, je l'ai trouvé très bien, mais je suis contente que tu me le confirmes. Je ne veux surtout pas que Sara soit maltraitée ou qu'on lui fasse peur. Je hais la violence ! Je ferai le maximum pour elle, mais je n'irai pas lui tordre le bras ou la « faire enfermer », comme m'ont dit certaines personnes. Elle n'est pas folle. Je veux qu'on la traite avec respect.

Je veux que Sara consulte un spécialiste avant de retourner dans le groupe. Tout ce que nous pouvons faire, tout l'amour que nous pouvons lui donner ne sont pas suffisants. L'aide dont elle a besoin dépasse mes capacités : elle s'est enfoncée trop profondément.

« Votre fille est dans des eaux très, très profondes », m'avait dit l'assistante sociale de l'hôpital ; elle avait vu juste.

Je n'ai pas la clef du monde dans lequel elle évolue. C'est atroce de voir votre enfant devenir subitement un autre être.

Une amie dont la mère est atteinte de la maladie d'Alzheimer m'avait fait cette réflexion : «C'est maman, et puis subitement ce n'est plus maman. Une autre personne s'est décalquée sur elle.»

Sara me fait la même impression. Parfois je la trouve très rationnelle, «comme avant», d'autres fois, je suis en présence d'un être possédé par un esprit diabolique qui gèle son intelligence et ses capacités de réflexion et qui la terrorise.

Espérons que Marc pourra l'aider. Il m'a envoyé un long questionnaire que j'ai rempli de mon mieux. Les questions sur sa personnalité, ses goûts, ses capacités «d'avant» ont été faciles à remplir; les détails sur son aventure m'ont donné plus de difficulté : je ne sais même pas le nom précis du groupe et ses caractéristiques.

Nous avons eu aussi à débattre des détails pratiques :

«Qu'est-ce que je dis à Sara? Comment est-ce que je le présente? Que puis-je faire pour lui suggérer de le rencontrer?»

En fait, il n'y a pas de réponse magique; c'est à chaque parent de faire de son mieux pour amener la personne à accepter de rencontrer l'*exit-counselor*. Évidemment, tout est une question de confiance et d'honnêteté. Et c'est dans des situations de ce type que va se révéler l'alchimie de l'entente parent-enfant, comme le papier de tournesol qui dans les expériences chimiques virait au bleu ou au rouge.

– Où a lieu la rencontre? Où auront lieu les entretiens?

– Dans un lieu public.

– Combien de temps ça dure?

– Trois jours pleins au minimum, me répond Marc. Vous me dites qu'elle communique facilement et qu'elle a l'esprit critique : elle va sûrement poser beaucoup de questions. Si vous pouvez rester un peu plus, ça me donnera la possibilité d'y répondre.

– Il faut que nous nous logions pendant ce temps-là. Qu'est-ce qui vous arrange?

– J'habite dans une petite ville. Voici le nom de quelques hôtels et auberges où je peux me rendre facilement. Quand vous ferez votre réservation, vérifiez s'ils ont l'air conditionné : l'été, la région est caniculaire.

Nous avons fixé provisoirement la rencontre pour le 5 juillet.

Ceci permettra à Sara de rester les deux semaines promises chez sa sœur au bord de la mer. Elle en a bien besoin, ne serait-ce que pour récupérer un peu physiquement.

Cela me laisse quelques jours pour organiser les aspects pratiques du voyage.

Je fais une liste :

• Réserver une chambre d'hôtel à Cherrytown, le village de Marc

• Faire les réservations d'avion et de location de voiture pour nous rendre jusque chez lui

• Faire faire des chèques de voyage, contracter une assurance-voyage

• Fermer la maison : arrêter la distribution du courrier et la livraison du journal, prévenir la gardienne de mon absence et lui rappeler d'arroser le jardin

• Annuler un rendez-vous de dentiste

• Régler la question de l'ordonnance pour obtenir les médicaments de Sara

Et essayer de résoudre la quadrature du cercle : comment vais-je payer tout cela?

Il faut que je paye les honoraires de consultation de Marc, les vols, la location de la voiture, les chèques de voyage et l'hôtel.

Je n'ai pas le temps d'obtenir un emprunt et je doute qu'ils me l'accordent.

«Pourquoi voulez-vous emprunter de l'argent, madame?
– Pour soigner ma fille qui sort d'une secte!»

Je ne vois qu'une solution : casser un certificat de placement de retraite. Je ne pense pas que ce soit possible, mais je vais toujours essayer.

Je vais voir la jeune directrice de l'organisme de placement et je lui raconte toutes mes aventures. Elle m'écoute attentivement.

– Il faut que vous écriviez votre histoire, me dit-elle. Les sectes, on ne se rend pas compte de ce que c'est. J'ai du mal à croire que ça se passe chez nous; on se croirait à la télé.

– La différence, c'est qu'il faut que je paye en vrais dollars. Est-ce que vous pouvez m'aider?

– Sans problème. Je vais autoriser une avance. Signez-moi ça ici. Je vais laisser passer tous les chèques et lorsque votre certificat viendra à échéance dans huit mois, je rembourserai le capital que vous aurez utilisé, majoré des intérêts.

– Que les chèques ne rebondissent pas, s'il vous plaît.

– Soyez sans inquiétude, je m'occupe de tout. Bonne chance pour votre fille.

Voilà un problème de réglé. Il reste à trouver une solution pour les médicaments de Sara. Le pharmacien nous a dépannées pour deux semaines, mais Sara n'a toujours pas d'ordonnance. Elle va de nouveau avoir besoin d'insuline. Qu'allons-nous faire à Cherrytown?

J'appelle son ancien spécialiste et raconte de nouveau l'histoire. Il a suivi Sara depuis des années et est horrifié d'apprendre ce qui lui est arrivé. Face à cette situation exceptionnelle, il accepte de prolonger l'ordonnance de Sara sans examen.

«Allez consulter un médecin dès que vous pourrez, mais en attendant, n'hésitez pas à m'appeler si vous avez besoin d'aide.»

Je n'ai plus qu'à aller à la pharmacie.

Lundi, minuit, le téléphone sonne. C'est Anne, elle sanglote au bout du fil. En une seconde, je vois les catastrophes défiler.

– Elle est partie?

– Non, mais j'ai entendu à la radio un message disant que l'on recherchait Sara.

– Quoi?

– Oui, je me suis renseignée; il paraît que ça fait deux jours que l'annonce passe sur les ondes de la radio locale.

– Personne ne sait où elle est.

– Si, Tim.

– Que disait *le* message exactement?

– Que Sara – avec son nom de jeune fille et son nom de femme mariée – s'était échappée d'un hôpital psychiatrique, qu'elle était malade, en danger, et qu'elle avait besoin d'aide.

– C'est lui : j'ai fait voyager Sara sous son nom de jeune fille.

– Je sais.

– Merde! Il faut le faire!

– Maman, qu'est-ce que je fais? John est en mer. Je suis toute seule ici avec le bébé et Sara.

– Écoute, retourne te coucher, essaye de te rendormir et n'ouvre la porte à personne. Tu m'as compris? Tu n'ouvres à personne. Je t'appelle demain matin. Courage, ma chérie.

Sara aurait-elle été dans un hôpital psychiatrique auparavant? Il faut que je vérifie et sois sûre de mon fait pour pouvoir démentir l'information. Lorsque nous étions en voiture avec les cousins, je me rappelle que Sara a nommé un hôpital. Je téléphone et demande le service de garde en psychiatrie. Je tombe sur une jeune femme médecin :

– Sara ? Oui, je me souviens très bien d'elle, je l'ai vue en mai... *Quel coup de dés !* Non, elle n'a jamais été admise en psychiatrie, elle était à l'hôpital à cause d'un coma diabétique, mais nous nous étions rendu compte qu'elle était impliquée dans une secte et nous avons soupçonné qu'elle était maltraitée. C'est ainsi que j'ai fait sa connaissance. Elle avait accepté de suivre un traitement psychologique mais, dès qu'elle est sortie de l'hôpital, elle n'est pas venue à ses rendez-vous.

À six heures du matin, j'appelle Jo. Il n'est pas encore dans son jardin ! J'ai besoin d'un conseil : je ne pense plus clairement. Tout va trop vite pour moi. Comment Tim fait-il pour toujours avoir une tête d'avance et contrecarrer mes plans avec autant d'astuce et de rapidité ?

– Jo ? J'appelle un peu tôt, excuse-moi, mais...

Il finit ma phrase :

– Tim te fait des misères et tu as besoin de moi.

– Exactement. Imagine ce qu'il a trouvé !

– Astucieux, ce gars ! Dommage qu'il soit au service du mal.

– Qu'est-ce que je fais ?

– Garde ton calme, mais appelle tout de suite cette avocate.

– Oh non !

– Qu'as-tu contre les avocates ? Il essaye de retrouver ta fille, tu t'en rends compte ?

– Oui, je suis affolée.

– Tu l'appelles tout de suite, tu lui dis que tu viens de ma part. Elle est formidable, tu verras, elle va t'aider.

– Ce n'est pas une de tes amies particulières ?

J'ai encore Claire, l'amie de Simon, en travers de la gorge.

Il rit :

– Non. Ça fait dix ans qu'elle aide des femmes qui sont dans des situations abusives; tu es devant un problème qui te dépasse. Appelle-la.

Sue a visiblement l'habitude des situations d'urgence. Elle est très efficace :

– Il essaye de la retrouver, c'est évident. Appelez immédiatement la police dans les Maritimes et dites-leur que votre fille ne s'est pas échappée d'un hôpital psychiatrique. Je vais les appeler aussi. Si Tim se présente là-bas, la police va l'aider. Vous imaginez le pauvre garçon qui cherche à retrouver sa femme qui est folle... et diabétique? Et puis un billet peut passer d'une main à l'autre...

– Vous n'avez pas très bonne opinion de la police.

– Je ne dis pas que ça va arriver, mais il ne faut pas courir de risque. C'est la vie de votre fille qui est en jeu. Il peut aussi être très convaincant. Comment voulez-vous que le policier se doute de ce qui se trame? Si Tim n'a pas été pris jusqu'à présent, c'est parce qu'il est très adroit. Il a de l'expérience. Sara n'est sûrement pas la première.

– Si près du but...

– Faites-les changer immédiatement d'endroit; trouvez une petite auberge et dites-leur d'y aller sans tarder. Ça va nous donner quelques heures.

Je suis ses directives. Trouver une chambre de libre dans une station balnéaire dont la population se multiplie par dix l'été est difficile. Nous sommes en haute saison. Je finis par réserver une suite (!) dans l'hôtel le plus luxueux de la région.

Je rappelle Anne. Elle décroche à la première sonnerie.

– Anne, j'ai réservé une suite au *Château*; prenez un taxi et allez-y immédiatement. La chambre est payée. Demande la clé à la réception; ils vous attendent. Il y a un petit lit pour Mat'. Restez dans l'hôtel, ne vous baladez pas, allez à la cafétéria, gâtez-vous et mettez la note sur la chambre. Si tu as un problème avec qui tu sais, tu appelles le sergent Untel. Il est au courant de la situation et le poste de police est à deux pas de l'hôtel. Fais attention quand on frappe à la porte. En cas d'urgence, tu peux aussi appeler le service de sécurité de l'hôtel; ils appelleront la police. Je vais essayer de prendre le vol de cet après-midi. Ça va? Est-ce que tu peux appeler Sara? J'aimerais lui parler.

– Compris, Maman.

Sara arrive.

– Bonjour ma chérie. Comment vas-tu aujourd'hui? As-tu bien dormi?

– Ça va, Maman, répond-elle d'une voix calme.

– Je vous ai fait une surprise.

C'est le genre de petite phrase qui pique la curiosité d'un jeune enfant. Ça ne manque pas.

– Oui? Dis vite, me répond-elle, tout à fait réveillée. Super! Est-ce que je peux choisir tout ce que je veux au restaurant? Est-ce qu'on peut commander dans la chambre?

La nourriture est devenue une véritable obsession; elle n'était pas comme cela auparavant. A-t-elle manqué de nourriture ou est-ce un phénomène de compensation? J'admire en passant qu'elle songe à commander un repas dans la chambre quelques jours après avoir quitté l'esclavage.

– J'ai aussi une deuxième surprise... Comme ça fait longtemps que nous ne nous sommes pas vues, j'ai décidé de t'inviter dans un endroit que tu aimes beaucoup.

– Dis vite ! Dis vite !
– Non, ce ne sera plus une surprise si je te le dis.
– Allez ! Maman !
Elle est accrochée.
– Ça commence par un W.
Une pause.
– Je sais ! s'exclame-t-elle. On va en Floride, à *Walt Disney*.
– Non, ce n'est pas ça.
Elle réfléchit.
– Ça y est, j'ai trouvé : Williamsburg !
– Tu verras. Je te dirai ça, ce soir.
Elle ne s'étonne de rien. Espérons que ça va durer.

Je suis à la course, maintenant. Mon agent de voyages me réserve le dernier siège en classe affaires sur le vol de l'après-midi. Je dépense l'argent à flots, c'est fou ! La machine est emballée. Ai-je le choix de faire autrement ?

Je jette quelques affaires, les passeports et mon carnet d'adresses dans un sac de voyage; je cours à la banque chercher de l'argent liquide et j'en profite pour faire un dépôt sur le compte de ma carte de crédit. Je ferme la maison. Un dernier coup d'œil au jardin : il regorge de lys, de roses et de delphiniums, il est à son apogée. Je n'ai pas le temps de l'arroser : tant pis.

« Quoi que tu fasses, ma petite, disait grand-mère, les vivaces ne te demanderont pas ton avis pour repousser. »

De l'aéroport d'Halifax, j'appelle la gardienne de la maison; elle garde toujours une clé, heureusement. Je laisse un message sur son répondeur :

« Voulez-vous avoir l'amabilité d'arroser le jardin et surtout ne vous gênez pas, cueillez toutes les fleurs que vous désirez. Pouvez-vous aussi vider le réfrigérateur, je n'ai pas eu le temps. Gardez le courrier. Pouvez-vous aussi arrêter la livraison du journal, je ne l'ai pas fait, j'ai dû partir en catastrophe. Merci beaucoup.»

L'ironie de la vie! La vie de ma fille dépend en partie de mes actions et je suis là à m'occuper d'affaires ancillaires. Je joue sur deux registres qui ne sont pas comparables. L'un est ma chair et mon sang, l'autre c'est le quotidien.

Femmes, Mères, Employées, Responsables, nous portons tant de chapeaux!

«Les aventuriers des temps modernes sont les pères de famille», disait un auteur français.

Je remplacerais volontiers père par mère.

L'attente à Halifax a été plus longue que prévue et il est plus de minuit lorsque j'arrive à l'hôtel.

Anne entrouvre doucement la porte et me serre longuement et silencieusement dans ses bras. Sara et le bébé dorment.

Anne s'est comportée en bon petit soldat.

– Je suis contente que tu sois là, Maman. J'avais peur.

Cherrytown

À cinq heures du matin, nous sommes debout. Ces quelques jours ont déjà fait du bien à Sara : elle est moins grise et a le souffle plus régulier. Anne a la mine chiffonnée, mais le visage embelli par un large sourire. Petit Mat' est rond et rose comme un bébé sans souci. Bien que nous soyons toutes fatiguées, l'humeur est à la joie. Sara est tout excitée à l'idée du voyage :

– Je vais prendre quatre avions aujourd'hui ! Je vais visiter Williamsburg ! scande-t-elle sur l'air de «Na-Na-Nère» comme lorsque, petites filles, elles se faisaient la nique.

On ne lui donnerait pas vingt-trois ans. Peu importe !

À l'aéroport, Sara est retombée dans le mutisme. Moi-même, je repasse dans ma tête tout ce que j'ai laissé en plan à cause de ce départ précipité. Je révise aussi mentalement ce que je vais avoir à faire et dire dans les jours prochains.

Comment Sara va-t-elle réagir lorsque je vais lui parler de Marc ? Comment vais-je m'y prendre ? Il ne s'agit pas que je torpille mon plan par des paroles malheureuses.

Keep it short and simple, recommandait un oncle avocat à ses clients. Ses nièces, exaspérées de l'entendre répéter cette petite phrase à tout bout de champ, l'avaient surnommé «Monsieur court-et-simple».

Trente ans après, je vais suivre ce conseil dont je me suis tellement moquée.

Nous attendons l'avion qui fait la navette et vient d'Halifax.

Pourvu que Tim ne débarque pas, ce serait tellement idiot. L'aéroport est tout petit et, à cette heure matinale, il y a tout au plus une dizaine de voyageurs qui attendent. Il nous verra.

L'avion est immobilisé sur la piste. J'épie chaque passager. Dans la porte de la passerelle, une silhouette massive s'encadre à contre-jour.

– Ma chérie, que veux-tu faire en arrivant à Williamsburg ?

Sara détourne ses yeux des arrivants ; je n'ose lever le nez. Il faut que je continue à capter son attention. Je serre les épaules.

– Tu te sens bien, Maman ?

Perspicace, la petite chérie ! Mais elle n'a pas entendu les messages à la radio – Anne avait enlevé les piles – et elle ne sait pas que Tim est à sa poursuite. Elle a été étonnée du changement subit de programme, mais, bien dressée par la secte à ne pas poser de questions, elle s'est contentée de l'explication : « C'est une surprise ».

Je redoute les autres membres de la secte. Comment les reconnaîtrais-je ? L'aéroport est la voie principale de sortie de l'île. S'ils ont eu le culot de faire passer un message sur les ondes de la radio locale, ils n'hésiteront pas à envoyer quelqu'un traîner ses guêtres à l'aéroport. Plusieurs membres habitent dans les Maritimes, si j'en crois les lettres que j'ai lues en novembre.

En me basant sur les connaissances que j'ai acquises, je sais que s'ils donnent l'ordre à Sara de les suivre, elle le fera. Si elle les suit, je ne la reverrai plus jamais, et elle, Ô, mon Dieu, elle sera punie.

Certes, je ne me sens pas bien. Je voudrais que Sara et moi soyons transparentes.

Je me rappelle maintenant ce que mon père disait en parlant des résistants qui se cachaient :

«Pour ne pas se faire prendre, il faut se noyer dans la foule. Il est plus facile de se cacher dans une grande ville que dans un maquis où vous avez besoin de nourriture, faites du feu et laissez des traces.»

J'ai complètement méjugé de l'ampleur du danger. Je commence à me demander quelles sont les vraies raisons pour lesquelles Tim et le groupe veulent absolument la récupérer. A-t-elle vu des choses qu'elle n'aurait pas dû voir? La secte a-t-elle d'autres activités? Veulent-ils la faire taire?

Cela me glace le cœur. Sara! Sara! Qu'as-tu été faire dans cette galère?

Les minutes sont longues. Rien ne se passe. Nous nous levons. En passant la porte, je me retourne et j'aperçois la silhouette qui étreint une femme, une enfant accrochée à ses jambes. Si je me mets à avoir peur de mon ombre, nous voilà bien! Nous traversons la piste; le vent tiède du matin effleure mon dos qui est trempé et glacé.

Le voyage se passe bien. Sara est tout heureuse de se faire servir un plateau, de pouvoir choisir sa boisson et de pouvoir donner des ordres : elle appelle trois fois l'hôtesse! À l'aéroport, en attendant les autres vols, elle fait du lèche-vitrine dans les boutiques et touche à tout : une véritable enfant. Mais une enfant qui doute, qui est inquiète.

– Tu avais dit que je prenais deux semaines de vacances; tu es venue me chercher un dimanche; dimanche dernier, j'étais chez Anne; dimanche prochain, tu me reconduis... Si je veux bien, ajoute-t-elle.

– C'est ça, ma chérie; tu sais que nous pouvons changer de date sans avoir à payer de supplément pour les billets d'avion.

Elle ne répond pas.

Si j'ai eu le temps d'organiser la partie du voyage de Cherrytown pour rencontrer Marc, j'ai été prise de court pour la partie de Williamsburg. Nous sommes en avance de quatre jours sur notre programme.

À l'arrivée à l'aéroport de Philadelphie, nous nous dirigeons vers les comptoirs de location de voitures. Je remplis les formulaires, signe et donne ma carte de crédit. Encore quelques minutes et à nous les vacances!

– Madame, votre carte n'est pas valable.

– Quoi! Mais oui, elle est valable. Je m'en suis servie ce matin pour payer l'hôtel. Repassez-la.

– Non madame; ils la refusent.

Je n'ai plus la force de me battre.

– Je vais payer en liquide.

– Nous n'acceptons que les cartes de crédit. En avez-vous une autre?

– Non. Je suis sûre qu'elle est bonne; j'ai fait exprès un dépôt hier. Passez-moi le téléphone, je vais parler au central.

– Je ne peux pas, madame; il y a un téléphone là-bas.

C'est le pompon! La cerise sur le gâteau! Une situation digne du «Père Ubu». Je suis arrivée à faire sortir ma fille des griffes de la secte et je ne suis pas capable de louer une voiture. Si nous n'étions pas si lasses, Sara et moi-même, j'en rirais!

Nous traînons nos bagages jusqu'à la cabine. Les circuits sont occupés. J'essaye de nouveau; enfin, ils répondent.

– Je viens de vérifier, madame. Vous avez dépassé votre limite de crédit.

– Mais c'est impossible. J'ai fait un dépôt hier directement à la banque.

– Désolé, madame, mais je ne le vois pas sur mon écran.

– Il doit y être; j'ai bien précisé que je voulais un dépôt express.

– Désolé. Appelez le service de crédit demain matin; c'est trop tard pour ce soir. Ils ouvrent à huit heures. Bonne soirée, madame.

– On essaye une autre compagnie de location?

– Ça va être pareil, me répond Sara.

Elle a raison.

– Il faut qu'on se trouve un hôtel pour cette nuit.

Nous traînons de nouveau nos bagages jusqu'au comptoir d'information, où une charmante personne nous accueille avec le sourire.

– Je vais vous trouver une chambre…

Elle passe quelques coups de fil.

– Une chambre au *Westin* de l'aéroport, ça vous va?

– Combien?

– Soixante-trois dollars.

Je n'en crois pas mes oreilles. Je la fais répéter.

Allons-y!

– Oui, oui, c'est très bien; je la prends.

La souriante personne s'est transformée en maîtresse d'école : elle nous examine de la tête aux pieds.

– Êtes-vous capable de payer? En liquide?

Je souris. Nous devons avoir une de ces têtes!

D'un ton de grande-duchesse, je lui réponds : «Bien sûûûûr», en traînant avec snobisme sur les voyelles.

Nous avons l'explication au moment de notre inscription à l'hôtel. Sur la fiche que me remet l'employé, je vois inscrite sous le prix, la mention : «Tarif spécial : passagers en difficulté.»

Ce n'est pas loin de la vérité.

La suite au *Westin* est une oasis de fraîcheur, de luxe et de repos. Sara agit avec un tel naturel qu'on pourrait croire qu'elle a toujours vécu comme ça. Rien ne l'étonne, rien ne la surprend. Elle a des facultés d'adaptation incroyables. Dire qu'il y a moins de deux semaines elle dormait par terre ! Ma fille est un vrai caméléon.

Je laisse Sara jouer dans le mini-bar et je vais m'enfermer dans la salle de bains. Discrètement, j'emporte avec moi mon sac.

Agir ainsi me met mal à l'aise : c'est comme si je me méfiais de ma fille. En fait, ce n'est pas de mon bébé dont je me méfie, mais de la femme inconnue qu'elle est devenue. C'est très désagréable. Il y a tant de choses que je ne comprends pas. J'ai beaucoup de mal à saisir les aspects irrationnels de sa nouvelle personnalité.

Nous passons une agréable soirée. Prudemment, je mets les passeports et l'argent sous mon oreiller. Se méfier de sa propre enfant : berk !

À huit heures sonnantes, j'appelle le service du crédit qui accorde une augmentation de la limite. Nous profitons d'un excellent buffet au petit déjeuner. Sara agit toujours comme une princesse habituée des palaces. Comment a-telle pu accepter de vivre dans son taudis ? Puis nous louons la voiture sans problème et nous voilà parties en direction de Williamsburg, tel que promis.

La route est longue mais aisée. Sara, bercée par le ronronnement de la voiture, somnole. Elle ne se réveille qu'après Richmond.

La route entre Richmond et Williamsburg est magnifique : c'est la Virginie des films. Le paysage est une suite de collines ondulées et de forêts majestueuses dans une harmonie de verts.

Beauté, paix, liberté, harmonie sont les termes qui viennent à l'esprit. Sara y est sensible et je vois, pour la première fois depuis qu'elle a quitté la secte, une expression passer sur sa figure. Jusqu'alors, elle avait le visage figé, comme si son expérience avait annihilé sa sensibilité, ses émotions, ses sentiments, sa fragilité. La beauté peut être une forme de thérapie.

Nous approchons du but. J'ai appelé le détective Luc avant mon départ. Il était en vacances; son adjoint m'a posé beaucoup de questions :

– Où allez-vous? Combien de temps allez-vous rester? Quel est le nom du motel? L'adresse? Où allez-vous ensuite?

Après toute l'aide que ce service nous a apportée, je veux croire que cette inquisition est dans notre intérêt. Cela me met quand même mal à l'aise : nous ne sommes pas des malfaiteurs!

– Nous allons passer trois, quatre jours à Williamsburg, puis nous allons rester une semaine dans «la région de Philadelphie». J'en ai parlé au détective Luc.

– Oui, madame, je suis au courant.

– Je voudrais que Sara rencontre quelqu'un. J'espère que ça va fonctionner et que cette personne va pouvoir l'aider... Bien sûr, je ne peux pas l'obliger; d'ailleurs à ce moment là, ça ne servirait à rien... Oui, je sais qu'elle a vingt-trois ans, mais si vous voyiez comment elle se comporte parfois, vous auriez des doutes sur son âge!

– Près de Philadelphie? Où serez-vous exactement? Quel est le nom de l'endroit? Est-ce un hôpital? Comment s'appelle la personne que vous allez rencontrer?

– Suis-je obligée de vous le dire?

– Non, non, vous n'êtes pas obligée... Nous vous souhaitons bonne chance.

Sara, ton aventure me force à faire des choses que je désapprouve. Je déteste manquer de civilité, mais j'ai trop peur que ça rate. Puis-je faire confiance à cet adjoint? Je me rappelle certains faits rapportés dans les journaux : une secte qui avait infiltré un service de renseignements; une autre dont plusieurs membres actifs étaient des barons de la finance et des gens d'affaires influents; des professeurs d'université qui avaient été mêlés à une affaire violente de secte... Les exemples ne manquent pas.

Pour Sara, je veux prendre le minimum de risques.

Sitôt raccroché, je décommande ma réservation à l'hôtel de Williamsburg et je choisis un autre hôtel.

Sara! Tu t'es embarquée seule dans une dangereuse bêtise, mais, pour finir, c'est toute ta famille qui se trouve entraînée et enchaînée par cette folie.

Après avoir déposé nos valises à l'hôtel, nous allons nous promener à pied dans ce magnifique village historique. Rien n'a changé : les anciennes maisons et leurs jardins bordés de buis et de clôtures blanches, les échoppes des artisans, les tavernes du XVIIIe siècle, les habitants en costume d'époque et l'ambiance joyeuse et calme de l'endroit, un lieu immuable où il fait bon.

À mon grand étonnement, Sara, qui est venue plusieurs fois à Williamsburg, semble perdue et ne reconnaît pas les lieux.

Je commence à m'inquiéter sérieusement des conséquences des comas.

Mais elle est là, elle voit, elle entend, elle parle. Pour le reste, nous assumerons.

Elle qui, dès douze ans, courait, sans se perdre, de maison en maison munie de son «laissez-passer du patriote», est égarée.

– Je vais rester avec toi, Maman, j'aime mieux, me dit-elle pudiquement.

Pauvre petite : elle se rend compte de ses incapacités. Je fais comme si...

Je suis pleine de haine et de rancœur envers cette secte qui a délibérément détruit ma belle enfant pour l'asservir. Quel gâchis !

Le lendemain, elle est fatiguée : trop de nouvelles choses, trop de sensations, trop de liberté. Elle est comme un ancien prisonnier qui se sent plus à l'aise dans sa cellule qu'à l'air libre.

Nous restons autour de la piscine de l'hôtel. Sara passe la journée sur une chaise longue.

Je me suis bien gardée d'aborder le plan prévu pour les jours suivants. Sur la route du retour vers Philadelphie, Sara aborde la question :

– Combien de jours vas-tu me confisquer? me demande-t-elle avec sagacité.

– Le temps que tu veux, ma chérie.

C'est renvoyer la question sans y répondre. Je me sens la digne descendante de la grand-mère normande : « Peut-êt' ben qu'oui, peut-êt'ben qu'non. »

– Nous avons un billet ouvert, nous pouvons choisir la date de retour que nous voulons.

– Ah?

Je me rends compte que parfois elle se souvient de certaines choses, parfois elle oublie.

– C'est toi qui me reconduiras à Otterton?

– Oui, je te l'ai promis.

Du plus profond de mon cœur, j'espère bien ne pas me trouver devant cette situation. J'aime mieux ne pas y penser d'avance.

– Avant de rentrer, je voudrais que tu rencontres un de mes amis. C'est un artiste. Il n'habite pas loin. Il a trois filles…

Elle m'interrompt en éclatant de rire :

– Tu veux que moi, me dit-elle ironiquement, je rencontre un artiste?

Je l'entends penser : «Ma mère est complètement cinglée !»

Non, ma chérie, maman n'est pas folle : elle sait comment piquer la curiosité de sa petite chérie... et ça marche !

– Marc est un artiste peintre, mais c'est aussi un spécialiste de la Bible.

Elle éclate de rire et, cette fois-ci, ne peut se retenir :

– Tu es complètement folle ! Tu veux que je le rencontre ?

– Oui. Moi, je ne connais rien à la Bible.

– Ça, tu peux le dire, tu n'es vraiment pas forte.

– Justement, je t'ai trouvé quelqu'un avec qui tu vas pouvoir discuter. On peut le voir demain, si ça te va.

– Sûrement. Ça m'intéresse !

Elle continue à rigoler.

– Un artiste qui s'y connaît en Bible ! Ah ! ma mère, c'est quelque chose ! Il n'y en a qu'une comme toi. Tu es folle, mais je t'aime.

Elle se calme et réfléchit.

– Tu sais, je voulais être une artiste. J'ai beaucoup peint lorsque j'étais à l'université... *Je ne savais pas que la peinture faisait partie du curriculum de la licence en sociologie !* J'aime ça. À Otterton, Tim m'avait dit qu'il me présenterait à un de ses amis peintre... *Pauvre gourde, il aurait dit n'importe quoi pour t'attirer !* Mais ça ne s'est jamais fait... *Évidemment !*

Elle est partie dans ses pensées : elle a les lèvres serrées et son petit visage est figé.

Je me tais. Peu à peu, elle revient au temps présent.

– Et tu me dis qu'il connaît aussi parfaitement la Bible ? Est-ce que je peux lui poser toutes les questions que je veux ?

– Il est là pour ça. C'est un des meilleurs experts que je connaisse.

Elle ne relève pas l'ambiguïté : «un ami... qui est là pour ça». Ouf ! ça passe... Elle est plus imbue du défi que de la logique qui sous-tend cette rencontre «inopinée».

Ah ! ma chérie, je te connais bien. Je savais que, si tu mordais, tu relèverais le défi.

À Cherrytown, nous sommes heureusement surprises par le charme de l'hôtel ; il fait partie d'une chaîne mais on a su lui donner un petit côté *Colonial* par la décoration. Le hall d'entrée est agréable et frais. À l'extérieur, la température a atteint 40 °C. Sara aime le décor de la chambre : dessus-de-lits fleuris et rideaux en chintz, faux vieux meubles, et tableaux copies d'Audubon. En face de l'hôtel, il y a un restaurant «familial» qui se révèle bon et pas cher. Somme toute, les vacances continuent.

Après le souper, nous allons visiter le centre commercial qui se trouve de l'autre côté de la rue ; il est ouvert vingt-quatre heures par jour ! Le soleil est couché, mais la température reste toujours aussi chaude. Sara a bien besoin de quelques vêtements légers. Toute joyeuse devant la pléthore de shorts, mini-robes, T-shirts, salopettes, «bons, beaux, pas chers», elle fouille à la recherche de la merveille de l'instant. Je la suis, elle regarde, commente, revient sur ses pas, hésite : c'est la grande débauche.

Sara est fatiguée, elle n'arrive pas à se décider. Je commence aussi à avoir envie de mon lit.

– Je suis crevée, Sara ; si on allait se coucher ? On reviendra demain.

– On voit l'artiste demain, Maman.

– Oui. Il faut qu'on le prévienne qu'on est arrivées. Viens ! On rentre à l'hôtel. On reviendra demain soir.

Nous repartons les mains vides.

– Marc ? La maman de Sara à l'appareil.

– J'attendais votre appel. Comment allez-vous ? Pas de difficulté ?

– Tout va bien ; nous sommes bien installées, la chambre est fraîche.

Sara, plantée à côté de moi, ronge ses ongles, le regard fixé sur le téléphone.

– Voulez-vous parler à Sara ?

Je lui tends le combiné.

Instinctivement, elle le saisit et me regarde interrogativement. Je me détourne. Elle n'a plus qu'à lui parler.

– Bonsoir, Sara. Avez-vous fait bon voyage ?

– Oui.

– Je viens vous voir demain matin. Huit heures dans le hall, ça vous va ?

– Je suppose que oui.

– Pas de questions ? Non ? Je vous souhaite une bonne nuit, alors. À demain matin.

– Merci, vous aussi.

Elle raccroche et file dans la salle de bains.

Lundi matin. Nous boudons les muffins et le café offerts par l'hôtel et choisissons d'aller prendre un vrai petit déjeuner au restaurant familial. Ils ont un buffet qui regorge de fruits, de salade, de pâtisseries, d'œufs brouillés, de bacon, de pommes de terre, de crêpes au sirop d'érable… Sara n'a pas faim. Elle picore et regarde la pendule du restaurant toutes les trois minutes. Moi, j'ai faim. Sara jette un coup d'œil de reproche vers mon assiette bien remplie :

– Tu vas grossir.

L'amabilité n'est pas de mise, ce matin. Il en faut plus pour me couper l'appétit.

– Tant pis ! Tu te rappelles ce que disait papa tous les dimanches soirs ? « Lundi, je me mets au régime. »

Elle se déride.

Nous sommes en avance pour le rendez-vous.
– On marche autour de l'hôtel?
La journée est déjà chaude; je pense à mon jardin...
Nous allons nous asseoir dans le hall. Sara est nerveuse. J'essaye d'avoir l'air détendue.
– À quoi ressemble-t-il? demande Sara.
Heureusement, Marc m'a envoyé sa photo.
– Tiens, le voilà!
Nous le voyons traverser le stationnement. Il porte un jean, une chemise à manches courtes, de vieux mocassins. Il a les mains dans les poches. Plutôt décontracté!
Il se dirige droit vers nous. À sa demande, je lui avais envoyé une photo de Sara.
– Bonjour. Bonjour, Sara. Comment allez-vous?
– Bien. Et vous? répond-elle automatiquement.
Il a l'air d'avoir passé la nuit debout. Je commence à me demander si c'est bien sérieux cette affaire. Il se retourne et cherche quelque chose des yeux.
– J'ai besoin d'un café. Nous venons d'adopter une petite fille et elle fait ses dents...
Je vois les épaules de Sara retomber et elle soupire. Il n'a pas l'air menaçant, c'est le moins qu'on puisse dire. Ce n'est qu'un papa comme un autre.
Sara le regarde se diriger vers le fond du hall et me jette un petit coup d'œil entendu qui veut dire : «Quel artiste!»
Marc tourne consciencieusement son café dans lequel il a versé tranquillement trois sachets de sucre, les uns après les autres; il n'a pas l'air pressé.
Sara esquisse un sourire d'amabilité :
– Quel âge a votre petite fille? Comment s'appelle-t-elle? D'où vient-elle?
Bon. Je les laisse et vais aussi me servir un café.

J'entends la fin de la conversation qui porte sur le temps, ce merveilleux sujet dont la neutralité permet de parler sans rien dire.

– Que faisons-nous?

– Je vais chercher mes affaires dans la voiture et je vous rejoins dans votre chambre.

Nous sommes assis en rond dans la chambre. Marc s'est assis sur une chaise, le dos à la fenêtre; Sara choisit le siège le plus éloigné et s'assied sur le bout des fesses. Elle a l'air crispée.

Marc parle. Il se présente très ouvertement. Il n'a pas un curriculum classique et Sara l'écoute avec intérêt. Il parle de ses débuts d'artiste, de son expérience dans un groupe biblique, de son travail actuel dans une branche sociale et de sa vie familiale. Il revient sur ses tableaux et nous propose d'aller les admirer cette semaine.

Sara le mange des yeux en ayant l'air de penser : «Il en a fait des choses ce type-là. Il est vraiment spécial!»

Puis, gentiment mais fermement, il encourage Sara à se présenter à son tour. Il utilise une forme interrogative-affirmative :

– Vous étiez à l'université l'année passée. Cette année, vous étiez dans un groupe religieux; vous pouvez m'en parler, m'expliquer de quel groupe il s'agit.

Toute timidité envolée, Sara est ravie; elle aussi, a une vie tumultueuse à raconter. Elle prend une position plus confortable.

J'écoute sagement. C'est un dialogue, maintenant. Marc se fait préciser certains détails, revient sur d'autres points... Je suis complètement dépassée par le sujet et le niveau de la conversation.

Marc s'arrête sur une phrase, sort une Bible de son cartable et appuie son argumentation sur des références.

Sara n'est pas d'accord :

– Non, ce n'est pas ce qui est écrit dans la Bible.

– Pourquoi n'allez-vous pas chercher la vôtre, que l'on puisse comparer?

La discussion devient plus intense. Sara est intarissable. Marc intervient souvent. Mais toute la discussion se fait en termes polis et avec grand respect. J'ai l'impression d'assister à un échange verbal entre deux docteurs de la Loi.

Marc dit :

– Il n'y a que deux endroits dans la Bible où ce terme est employé : ici et là.

Il donne les deux références. Je les regarde feuilleter frénétiquement leur Bible : deux artistes au piano!

Sara lit les références, les relit, et lève le nez, la mâchoire en avant et les dents serrées.

Trop polie pour démentir ouvertement et s'opposer à quelqu'un qui a l'air de s'y connaître, et trop troublée dans ses croyances.

Marc a l'habitude de ce genre de situation.

– Lisez, Sara, lisez tout haut.

Elle relit la phrase silencieusement et regarde Marc avec des yeux de braise. Elle est très, très en colère. Puis elle explose.

Je n'y comprends rien.

Marc calmement utilise une autre référence de la Bible pour renforcer son point. Sara est coincée, mais reste sur sa position.

Marc pose sa main sur la Bible et dit solennellement :

– Sara, vous croyez ce qui est écrit dans la Bible?

– Oui, répond-elle du fond du cœur en faisant le même geste que Marc.

Je commence à comprendre comment Marc s'y prend. C'est très intelligent. Sara garde ce pour quoi elle a brûlé toute une année : sa foi en la Bible. Mais Marc va peu à peu l'amener à réfléchir sur la validité des paroles du groupe.

C'est un travail d'approche de professionnel. Le professeur Stan et Jo avaient raison : il est bon.

Sara est intelligente, elle se rend compte de sa position délicate, mais elle est orgueilleuse aussi et ne veut pas reconnaître, devant sa mère, qu'elle s'est trompée ou a été trompée.

– Je veux que maman sorte.

– D'accord.

Marc se tourne vers moi :

– Pouvez-vous nous attendre dans le hall? Nous allons nous arrêter d'ici dix minutes et venir prendre un café.

Les dix minutes se transforment en deux heures. Il est l'heure du déjeuner lorsqu'ils apparaissent. D'un pas commun, nous nous dirigeons vers le restaurant familial. Sara et Marc sont pris dans leur discussion; je les suis silencieusement derrière. À table, ils continuent. Ils vont se servir au buffet en discutant : deux intellectuels! Manger est une nécessité, mais ce qui les nourrit actuellement, ce sont les propos échangés. Ils n'ont pas le temps de prendre de dessert.

– Je veux montrer une vidéocassette à Sara.

– Salut, Maman. À ce soir!

Quel plaisir de voir Sara aussi vivante! Elle a mûri, ma fille!

Je les regarde s'éloigner par la fenêtre; ils se dirigent vers le coffre de la voiture de Marc. C'est un véritable arsenal qu'il a là-dedans! Il sort un magnétoscope et le tend à Sara, puis je l'aperçois qui fouille dans une grosse valise emplie de vidéocassettes.

Dire que je croyais qu'il était arrivé les mains nues, ce matin! C'est un magicien.

La journée de mardi est identique à la veille. Marc arrive à huit heures et repart entre cinq et six. Parfois, il me demande de rester avec eux; d'autres fois, Sara préfère être seule avec Marc. Alors, je vais dans le hall et j'attends. Nous prenons le repas de midi et les pauses café ensemble. Le reste du temps, j'attends, ne sachant jamais quand ils vont m'appeler.

Quand ils se séparent, mardi soir, c'est Marc qui a l'air épuisé. J'en fais la remarque à Sara.

– Évidemment, Maman. Tu ne te rends pas compte du traitement que je lui fais subir! Je le bourre de questions. Il sait tout. Il est incroyable! Il est super!

J'ai envie de sourire : c'est ma fille qui le met sur le gril... ou qui croit mener le bal.

Mercredi midi. Le déjeuner se passe dans le silence, l'un et l'autre sont pris dans leurs pensées. L'ambiance n'est pas bonne.

– Madame, pouvez-vous nous rejoindre à quatre heures? Nous ferons le point.

Lorsque j'arrive à l'heure dite, je vois immédiatement que Sara a la tête des mauvais jours.

– Maintenant, dit Marc, dites à votre mère ce que vous m'avez dit, ce que vous pensez.

Sara ne me regarde pas, baisse la tête et crache d'un jet sur un ton haineux :

– Maman croit que je suis dans une secte, c'est faux. Maman dit que Tim me manipule et que j'ai eu un lavage de cerveau, ce n'est pas vrai. Maman dit qu'elle m'a écrit vingt-trois lettres, elle ment. Je le sais, parce que je ne les ai jamais reçues.

Puis elle crie :

– Je ne suis pas dans une secte. Je n'ai pas eu un lavage de cerveau. Tim m'aime.

Je suis muette et blessée de voir que ma fille m'a joué la comédie – le terme tragédie serait plus exact – depuis trois semaines.

Marc assiste à cet assaut d'agressivité calmement, mais il a les traits tendus.

– Un bon mari prend soin de son épouse et suit l'enseignement de la Bible. Est-ce que Tim a fait ça pour vous? Qu'est-ce que vous en pensez, Sara?

Sara ne veut pas mentir. Elle réalise que Tim lui a menti et qu'elle a été trompée. L'admettre est un pas difficile.

Perdre ses illusions lorsque l'on a vingt ans est douloureux.

Son orgueil en prend aussi un méchant coup : «Comment ai-je pu me faire avoir aussi bêtement?» doit-elle se dire.

Acculée face à elle-même, elle trouve une solution pour se sortir de cette situation embarrassante. Elle éclate en sanglots et fuit dans la salle de bains en claquant la porte.

Je n'ai toujours pas dit un mot depuis mon entrée. Je suis assommée.

Marc laisse voir son découragement.

Les idées que Tim et la secte lui ont mises dans la tête sont tellement bien ancrées qu'elle n'est pas capable de voir une autre réalité.

Ma fille est programmée, ma fille a un cerveau mécanique. Où est passée la réflexion? Où est passée l'intelligence?

Mon cœur saigne.

Marc chuchote :

«Si elle est dans cet état d'esprit, l'envoyer au Chalet – l'étape suivante – est du gaspillage.»

C'est un constat d'échec. C'est raté!

Marc avait été honnête et m'avait dit que son taux de succès se situait aux alentours de 60-70 %.

Je pleure sans larmes; j'étais tellement sûre que Marc y arriverait.

Cela signifie qu'elle veut retourner dans la secte et que je vais devoir la ramener à ses tourmenteurs. Cette gourde ne se rend pas compte qu'elle va être sévèrement punie! Ses comas ne lui ont pas appris que c'est elle qui souffre et qui risque de perdre la vie!

Ces sectes sont une maladie, une maladie qui attaque le cerveau d'abord, puis le corps, une maladie où le vecteur est un autre être humain.

Je regarde Marc :
– Qu'est-ce qu'on fait?
Il me fait signe d'aller vers la salle de bains.
Je l'entends pleurer. Je frappe.
– Fiche le camp, Maman.
Je me retourne vers Marc. Il est gris. Il me fait signe de m'en aller. Je sors.
En passant dans le couloir, je vois un fantôme à la figure verte : c'est mon reflet dans le miroir.
Je vais dehors au soleil. Miasmes de terreur et d'angoisse, éloignez-vous!
Je fais les cent pas.
Je dois croire aux miracles, je veux croire au miracle; elle n'est pas encore devant la porte de Tim.
Et là, je prie, je prie avec la foi de mon enfance :
«Dieu! Ne laissez pas faire cette iniquité!»

Une heure passe. Dehors, les ombres se sont allongées. Sara et Marc apparaissent. Ils sont à contre-jour et je ne vois pas leur figure.
Quand ils approchent, je vois qu'ils sont épuisés, mais calmes. La bagarre intérieure de Sara est résolue. Merci, Marc, de l'avoir tirée sur la rive. Sara, les yeux rougis, mais la voix ferme annonce :
– J'ai choisi d'aller au Chalet car je veux encore réfléchir.

Qu'y a-t-il à répondre? C'est une demi-victoire. Au moins, elle va encore passer deux semaines loin de l'influence pernicieuse de Tim.

Marc a hâte de partir.

– Sara m'a dit que vous vouliez visiter les jardins de Longwood demain. C'est une excellente idée. Pouvez-vous être de retour vers quatre heures? Je n'ai pas fini, je veux montrer encore certaines choses à Sara.

Jeudi et vendredi, l'ambiance est fausse. Je me fais petite. Sara est plongée profondément dans ses pensées.

Marc est aussi revenu vendredi en fin de journée. Nous nous dégageons de Sara pendant quelques instants.

– Marc, ce que vous avez fait pour Sara et pour notre famille n'a pas de prix. Merci, merci!

– Je sais, je ne fais pas cela seulement pour l'argent.

– Ça été dur, mercredi après-midi.

– Ça arrive, parfois. Elle est très fragile. Elle a été horriblement abusée par Tim. Ce type est le diable en personne. Comment un humain peut-il être assez vicieux pour faire autant de mal à une jeune femme comme Sara? Elle est si douce et si gentille. Je suis sûr que ces deux semaines au Chalet vont lui faire beaucoup de bien, elle en a bien besoin. Elle va aimer cette expérience. J'ai parlé hier soir de Sara avec le Dr Christopher, le directeur du Chalet, et j'ai recommandé son admission. Je pense qu'il va suivre mon avis. Mais, au préalable, il faut que Sara l'appelle et discute avec lui. Ce n'est qu'après cette conversation que le Dr Christopher l'acceptera. Elle a de bonnes chances.

Encore une autre étape.

Après le dîner, Sara l'appelle. Je les laisse seuls.

Jo m'a parlé du Chalet avant que je ne parte.

– C'est un endroit unique. C'est le Dr Christopher qui l'a créé. Il a été dans une secte autrefois et il s'en est sorti. Il dit qu'il a mis sept ans pour y arriver et qu'il ne souhaite ça à personne! Il a une formation de psychologue, mais il est surtout mondialement connu à cause de cette expérience unique, et, bien sûr, par ses travaux et les conférences qu'il donne. Les gens viennent du monde entier pour se faire suivre au Chalet.

– Je sais. Quand je cherchais un endroit pour aider Sara, son nom était cité presque à chaque fois. Même mes cousins d'Australie le connaissaient! Qu'est-ce qu'ils y font? En quoi est-ce aussi extraordinaire?

– Je pourrais te dire que c'est l'endroit où une personne qui a été traumatisée par une relation abusive ou par une expérience dans un milieu totalitaire, comme ta fille, peut trouver l'écoute professionnelle d'une équipe et une ambiance, un soutien qui vont contribuer à son rétablissement. Mais il y a autre chose en plus qui tient au concept et à la personnalité de son fondateur et qui en fait une planète réparatrice.

– Tu es bien grandiloquent! Tu y as été?

– Oui. Dans le cadre de mes travaux, j'avais fait une visite professionnelle au Chalet, mais j'ai rencontré le Dr Christopher plusieurs fois. Je souhaite que Sara puisse y aller. Le Chalet, c'est unique!

Je reviens à la chambre. Sara est en train de faire sa valise. Elle ne me dit rien. J'aimerais tout de même savoir où on va demain.

– Ça a été, ton téléphone?

– Oui.

– Tu vas au Chalet?

– Oui.

Je n'en tirerai rien d'autre. Bon. Je m'assieds près du téléphone.

– Tu n'en as pas pour longtemps ? Je veux me coucher.

Quelle humeur ! Elle n'est jamais comme ça.

– Ça va aller vite, je prends juste mes messages téléphoniques.

Le premier provient de la gardienne de la maison qui m'annonce que quelqu'un a essayé d'entrer par effraction dans la maison en cassant une vitre au sous-sol, mais que l'alarme s'est déclenchée et a fait fuir l'intrus.

Après toutes les émotions que je viens de vivre, une vitre cassée me paraît un tout petit problème.

Le deuxième message provient d'une assistante sociale d'Otterton, qui demande à « la mère de Sara » d'appeler à tel numéro.

De quoi s'agit-il ? Je verrai à mon retour.

Je dépose un léger baiser sur les cheveux de Sara qui est couchée. Elle fait semblant de dormir.

Le Chalet

À notre arrivée à l'aéroport, Sara a retrouvé sa belle humeur. Encore deux vols, aujourd'hui. Sara est ravie de ces aventures. Je l'observe. Elle est moins crispée, moins figée; elle a une attitude plus libre, et même ses gestes sont plus harmonieux, moins saccadés, moins automatiques. Parler avec Marc lui a fait du bien.

Après trois heures de voyage, la glace pour l'insuline, que nous avons prise ce matin avant de partir du motel, a fondu. C'est toujours la même histoire. Sara ne fait ni une ni deux et, pendant que j'attends les valises sur le carrousel, se dirige vers le poste de soins d'urgence de l'aéroport. De loin, je la vois qui n'obtient pas de réponse. Qu'importe! Elle arrête un membre d'équipage qui passe, explique son problème, et je les vois partir tous les deux. Cinq minutes plus tard, Sara, ravie, revient avec sa glace.

Quel changement! Elle devient plus autonome et est enfin capable de prendre des initiatives. Dans un groupe abusif comme celui qu'elle a connu, l'individu n'existe plus : toute idée qui n'est pas dans la ligne de pensée du groupe est bannie. Faites preuve d'initiative ou ayez des pensées que le groupe considère comme non orthodoxes et vous serez sévèrement puni.

La secte *exige l'obéissance inconditionnelle, aveugle et entière et la soumission totale au dirigeant du groupe, que ce soit en action ou en pensée (21).*

Nous avons deux heures de route devant nous. La secrétaire du Dr Christopher m'a donné au téléphone des instructions précises et détaillées :

«Lorsque vous sortez de l'aéroport, prenez la direction de BigCity. Quand vous serez sur le périphérique, prenez la sortie 36 Est. Vous allez suivre l'autoroute pendant cinquante kilomètres. À telle ville, vous allez prendre la voie secondaire et vous allez continuer comme cela pendant vingt kilomètres. Faites attention : l'embranchement est mal indiqué. Vous allez arriver à une petite ville; là, vous tournez à droite en face de l'église, puis immédiatement à gauche et vous allez être sur une vicinale. Vous ne verrez aucune indication. Vous continuez sur cette voie-là pendant exactement quatre kilomètres et demi. Vous allez voir une station-service sur votre droite. Vous vous arrêtez. Il y a un téléphone public sur l'aire de la station. Vous appelez à tel numéro pour nous indiquer votre arrivée et vous attendez. Surtout ne l'égarez pas, c'est un numéro particulier. *En effet, il ne correspond pas aux numéros de téléphone des documents sur le Chalet que j'ai en mains.* Ne bougez pas, restez dans votre voiture, quelqu'un viendra vous chercher.»

Est-ce une course au trésor? Un rallye? Ça fait drôlement film policier! Que de mystères! Je n'ai pas envie de me perdre, car je n'ai pas l'adresse du Chalet. Toute la correspondance est adressée à une boîte postale.

Sara est plongée dans ses pensées, mais a une attitude relaxe. En principe, elle doit m'aider pour la direction, mais elle prend ça très à la légère. Heureusement, dès que nous avons laissé la grosse ville derrière nous, il n'y a pas beaucoup de circulation et nous ne nous perdons pas. Et soudain, alors qu'elle a été muette pendant deux heures, elle me dit :

– Tu sais, Maman, je suis une *cult-addict.*

Elle ne trouve pas le mot en français. Une accro de la secte, une «sectomane», si le mot existait. On dit bien toxicomane et opiomane.

C'est vrai, mon intelligent bébé.

Elle reprend d'une voix enfantine :

– Je suis inquiète.

– Si tu ne te sens pas à l'aise, tu n'hésites pas à me le dire, je peux rester au Chalet. Le Dr Christopher m'a dit que ça pouvait se faire. On va voir comment c'est. Je ferai ce que tu me diras.

– Tu sais, l'autre jour, Maman, le Dr Christopher m'a demandé pourquoi je voulais venir au Chalet. Je ne savais pas trop quoi répondre. Je ne pouvais pas dire à quelqu'un que je ne connaissais pas : «Je suis dingo, je suis une *cult-addict*, j'ai besoin d'être soignée.» Je n'ai pas envie qu'il m'enferme chez les fous. «Ils» ont dit que ces centres étaient des prisons pour les fous. Ce n'est pas vrai, n'est-ce pas? Je me suis renseignée auprès de Marc et il m'a dit que toutes les sectes racontaient ça. Il appelle ça de la désinformation. Marc a promis de me téléphoner au Chalet pour voir si tout va bien.

– Moi aussi je me suis renseignée, tu t'en doutes! Non, ce n'est pas une maison de fous. Tu es complètement libre dans ce centre; mais on va s'assurer que c'est bien vrai. Si l'une de nous deux a le moindre doute, on ne se lâche pas.

– O.K. Alors, écoute l'histoire que j'ai racontée au Dr Christopher :

Il y a une inondation épouvantable. Un homme, pour échapper à l'eau, est monté sur le toit de sa maison et est assis en équilibre. Évidemment, il a froid et faim. Que fait-il ? Il prie :

« Mon Dieu, s'il vous plaît, venez à mon secours ! »

Un tronc d'arbre passe devant lui. Il le regarde.

« Mon Dieu, s'il vous plaît, aidez-moi, venez à mon secours ! »

Il entend un hélicoptère. Il lève la tête. Il attend. Il voit l'hélicoptère s'éloigner.

« Mon Dieu, s'il vous plaît, aidez-moi, venez à mon secours ! Je n'en peux plus ! »

Il voit une barque qui s'approche de la maison. Que fait-il ? Il continue à prier :

« Mon Dieu ! Mon Dieu ! Ayez pitié ! Aidez-moi ! Au secours ! »

L'eau monte et monte.

Quand il arrive au ciel, il va voir Dieu et gémit :

« Qu'est-ce qui Vous a pris ? J'ai prié et prié et Vous ne m'avez pas entendu. Pourquoi ne m'avez-Vous pas aidé ? »

Et Dieu lui répond :

« Je t'ai aidé, mon fils. Je t'ai envoyé un tronc d'arbre, tu n'as pas bougé ; je t'ai envoyé un hélicoptère, tu ne lui as pas fait signe ; je t'ai envoyé une barque et tu t'es tu. Alors, comment oses-tu te plaindre ? »

Le Dr Christopher a dit que c'était une excellente histoire.

Sara réfléchit.

– Sais-tu quel âge a le Dr Christopher ?

– J'ai eu l'impression, au téléphone, qu'il était assez âgé : il parle lentement, d'une voix douce. Est-ce que ça a une grosse importance ?

– Non, c'était juste pour savoir. Est-ce qu'on est encore loin ?

– On devrait arriver. Regarde si tu vois une station-service de ton côté.

– Là, Maman ! Tourne !

Nous y sommes. Je suis les instructions. Une voix jeune et féminine me répond :

– Nous attendions votre appel. Tout va bien ? Vous n'avez pas eu de problèmes ? Restez où vous êtes. Quelqu'un va venir vous chercher. De quelle couleur est votre voiture ?

Je retourne à la voiture, ouvre les fenêtres et attends. Le soir tombe.

Sara et moi scrutons des yeux chaque voiture qui s'approche. Il y en a plusieurs puisque nous sommes dans une station-service ! Les conducteurs descendent et font le plein eux-mêmes avant de régler à l'intérieur du poste. Ils ont une sale tête. Une voiture avec quatre jeunes s'arrête juste derrière nous. Sara a peur. Je les regarde dans le rétroviseur. J'approche doucement ma main du contact ; s'ils nous ennuient, nous démarrerons. Nos portes sont fermées, mais nos deux vitres sont grandes ouvertes. Un des garçons s'approche de la plaque arrière, la regarde et s'en retourne. Il se dirige vers le téléphone. Les autres restent dans la voiture. Je continue à les regarder dans le rétroviseur. Ils s'en vont et nous jettent un air narquois et insolent en passant. Quatre voyous.

Sara est recroquevillée sur elle-même ; j'ai mal à l'estomac.

L'attente est longue.

– Ça fait combien de temps que tu as téléphoné ?

– Un bon quart d'heure.

– Tu crois que c'est un piège ?

Je soupire.

Une jeep arrive et le même scénario se répète. Elle stationne derrière nous. Personne ne descend. Dans le rétroviseur, je vois mal les passagers. Sara se retourne carrément sur son siège :

– Maman ! Il descend.

En effet, je vois un homme grand et mince se diriger vers le téléphone.

– Ce qu'on est bête, ma chatte ! On se fait des peurs inutiles.

– Maman ! Il ne téléphone pas. Il nous regarde.

– Il est seul ?

– Je ne vois rien, répond Sara.

Nous sommes deux femmes toutes seules, dans une région isolée, arrêtées dans le stationnement d'une station-service... Tous les crimes récents survenus le long des routes me viennent à l'esprit. Nous n'en menons pas large. Un voyeur ? Ça ne peut pas durer.

Je descends et me dirige d'un pas décidé vers la cabine téléphonique.

L'homme me regarde venir et ne bouge pas. Il ne téléphone pas, Sara avait raison.

De près, il n'a pas l'air aussi menaçant. Serait-ce... ?

– Êtes-vous... ?

– Je suis le Dr Christopher...

Ah ! Ces psy ! Toujours à attendre qu'on fasse le premier pas.

– Je vous imaginais plus âgé.

Quelle entrée en matière !

– J'ai quarante-six ans. Suis-je admissible ?

Je ris. Il a au moins le sens de l'humour.

Il se tourne vers Sara qui, me voyant bavarder, s'est doutée que nous avions affaire à la bonne personne et s'est rapprochée.

– Comment allez-vous, Sara ?

– Je suis anxieuse, lâche-t-elle.

– C'est normal.

Il est si calme ! Nous sommes toutes les deux sur les nerfs et il s'en rend compte.

– Je vais prendre la voiture, je roulerai doucement. Vous me suivez.

Et nous voilà reparties. À droite, à gauche, à droite… nous passons sur un pont, tournons à angle droit, repartons dans l'autre sens… il conduit vite. C'est la pleine campagne et la route est étroite et sinueuse. Je ne vois aucune indication. Au bout d'une dizaine de minutes, il tourne brusquement et s'enfile dans un chemin de terre. C'est plein d'ornières et je ne vois plus rien à cause de la poussière, je ralentis pour ne pas aller dans le fossé. Nous sommes à une croisée de chemins de terre.

– Tout droit, me dit Sara

Au détour suivant, j'aperçois la voiture : Christopher s'était arrêté. Dès qu'il nous voit, il redémarre et j'accélère ne voulant pas le perdre. Dans les bois, la lumière filtre difficilement. Christopher s'enfile soudainement sur un tout petit chemin herbu. J'aperçois du coin de l'œil une grille ouverte. Il ralentit. Je vois un puits, puis le Chalet. Nous y sommes.

Sara marmonne : «il» ne me retrouvera jamais ici.

Elle n'a pas besoin de prononcer le prénom pour que je sache qu'il s'agit de Tim.

Elle pousse un soupir de soulagement.

Nous descendons de voiture. Je suis courbaturée comme si j'avais couru le marathon. L'air est frais : c'est la campagne. Deux chiens jappent et viennent tourner autour des voitures. Sara a un mouvement de recul. Christopher le remarque :

– Les chiens ne sont pas admis dans le Chalet.

Nous prenons nos bagages. La porte de la cuisine est ouverte. Nous entrons. Une bonne odeur de biscuits s'échappe du four. Sara, toujours aussi gourmande, sourit du coin des lèvres. Une jeune femme, genre étudiant, nous accueille avec bienveillance.

– Voici Linda. Elle a préparé le repas et va dîner avec vous. Linda est étudiante en psychologie et est une *R.C.*

– Qu'est-ce que ça signifie?

– *Registered Counselor*, c'est-à-dire une conseillère agréée. Nous avons plusieurs conseillers qui se relayent.

– Voulez-vous boire quelque chose avant le dîner? Nous avons des jus, des boissons pétillantes, du lait, du thé, nous propose-t-elle.

Linda parle tranquillement et d'une voix douce. Cela semble être la marque de la maison. Christopher est si calme. Il se déplace même doucement.

L'atmosphère est feutrée : on entend le silence. Quel terme employait Jo pour décrire l'ambiance bien particulière du Chalet? La planète miraculeuse? Une planète réparatrice?

Je repense à mes lectures de cet hiver lorsque je cherchais une clef pour connaître et comprendre ce qui arrivait à ma fille, et à tout ce que j'ai appris sur les moyens et méthodes utilisés par les sectes.

Je me pose la question : Sara a-t-elle enduré des heures de discours et de musique forte? A-t-elle été obligée de dormir avec des écouteurs? A-t-elle été forcée d'écouter pendant des heures les enregistrements du gourou? Je me souviens de l'énorme chaîne stéréo que j'ai vue dans son appartement.

Plusieurs groupes obligent leurs membres à porter des écouteurs qui diffusent des sermons pendant leur sommeil, après avoir écouté pendant des heures, lorsqu'ils étaient réveillés, les exhortations de leur leader enregistrées sur bande (20).

Les rites quotidiens intenses et les pratiques thérapeutiques sont, sans exception, la principale activité lorsque l'on vit dans une secte... Certains groupes affichent jusqu'à soixante-dix heures de pratique hebdomadaire. Le résultat est catastrophique : tendances suicidaires, éclats de violence, incapacité de rompre le rythme mental des incantations, hallucinations et désillusions, amnésie, cauchemars, impression de flotter dans un état second (17).

À l'opposé, la quiétude du Chalet. Je regarde autour de moi : le salon avec le foyer et des canapés spacieux en chintz, les baies largement ouvertes sur la forêt, une table de salle à manger où le couvert est dressé, et partout des fleurs, des revues, de petits objets, des vidéocassettes. C'est un chalet familial. On s'y sent bien, si bien que je sauterais volontiers le dîner pour m'affaler dans un des gros fauteuils, avec la jarre à biscuits à mes côtés. *Comme chez soi!*

Sara m'entraîne dans sa chambre. Un lit à baldaquin, une profusion de dentelle et de rose, une couette fleurie, encore du chintz, une armée d'ours en peluche, une collection d'appeaux, une salle de bains privée, encore du rose... C'est encore mieux qu'à la maison!

– Regarde ma chambre, Maman, regarde! Tout ce que j'aime... Ça et ça...

Sara est enthousiaste. Elle touche tout ce qu'elle me décrit, comme si elle voulait s'assurer qu'elle ne rêve pas. Elle tourne comme une toupie, un gros *Teddy Bear* serré contre son cœur.

– Contente?

– Tu parles! Tu t'imagines? C'est ma chambre, rien que pour moi. Christopher m'a dit que j'allais partager la chambre avec une autre jeune fille qui arriverait demain. J'ai dit non... Enfin, poliment. Il a compris et il a dit que je pouvais garder la chambre, rien que pour moi.

Elle redécouvre comme c'est bon d'avoir de temps en temps un peu d'intimité.

Pendant les huit mois qu'elle a passés dans le groupe, Sara n'a jamais été seule… Les rares fois où elle sortait, Tim la tenait par la main. Elle devait marcher la tête basse et il lui était interdit de s'adresser à des personnes étrangères au groupe car c'était Satan qui la tentait. La preuve, c'est que Tim disait qu'ils avaient des yeux de sorciers.

Les femmes, dans ces sectes extrémistes, sont des esclaves muettes.

Les groupes abusifs terrorisent leurs victimes jusqu'au silence (12).

Sara me ramène au moment présent : nous sommes au Chalet.

– Maman, il faut que je mette mon insuline au frais. Tu crois que je peux la mettre dans le frigidaire? Est-ce que tu crois que Christopher sera d'accord si j'interdis aux autres d'y toucher?

– Mais oui, vas-y.

Elle prend un Tupperware et écrit sur le couvercle avec un gros feutre :

«Insuline. Sara. Ne pas toucher.»

Elle prend plaisir à ce geste.

Tim avait un leitmotiv à la bouche : «Soumets-toi! soumets-toi!»

Aujourd'hui, c'est elle qui donne un ordre.

Les maris sont considérés comme les Papes ou les Grands Prêtres et ils sont infaillibles, aussi leurs épouses ne peuvent-elles pas contester leurs décisions. Les femmes qui se révoltent contre les fréquentes injustices de ce système sont l'objet de pressions intenses de la part du groupe… L'autorité est la réponse à tous les besoins et se révolter est la source de tous les problèmes (17).

Les pressions intenses peuvent aller jusqu'aux sévices.

Être battu (e), affamé (e), ligoté (e), les douches froides et les bains forcés, les longues heures de travaux humiliants et dégradants font partie des punitions physiques subies dans un cas sur cinq (17).

Au dîner, Sara est rentrée dans sa coquille. La figure dans son assiette, muette, elle mange mécaniquement. Ses yeux sont sans expression. Dès que Linda se lève, Sara saute sur ses pieds pour l'aider, comme si elle avait un ressort sous les fesses. Linda ne dit rien, la laisse faire et lui sourit gentiment.

Dans la secte, «servir» est l'autre devise.

La vie dans la secte pour la plupart des adeptes, c'est le mouvement perpétuel : un programme épuisant de tâches subalternes, de collectes de fonds continuelles, de recrutement de nouveaux membres, d'activités de prières et de rituels sans fin (17).

C'est aussi une méthode pour briser la volonté des gens.

Après le dîner, le Dr Christopher, qui est revenu accompagné de son assistant, Len, veut avoir un court entretien avec Sara.

– Sara, j'aimerais vous poser quelques questions. Voulez-vous que votre maman vienne avec nous ?

– Cela dépend des questions, lui répond Sara du tac au tac.

Je reste dans le salon avec Len.

– Len, je voudrais en savoir plus… Comment ça se passe ? Que faut-il faire pour qu'elle récupère ? J'ai fait un survol théorique cet hiver, mais je voudrais en savoir plus pour pouvoir l'aider et ne pas faire de bêtises.

Le traitement et le rétablissement de ceux qui sortent des sectes est un processus long et difficile. Les traumatismes émotionnels sont réels et souvent accompagnés de graves troubles mentaux (9).

Du point de vue clinique, les problèmes sont la pléthore de symptômes que présentent les ex-adeptes et le large éventail de diagnostics… Les anciens adeptes sont déprimés, brisés, et font de la dissociation… Il faut les laisser faire leur deuil, si c'est nécessaire… Il est essentiel de les aider à renouer avec leur famille, leurs amis, et à définir des buts de formation et de carrière… Pour beaucoup, la rigueur de la vie dans les sectes a été débilitante et il faut que l'ex-adepte se rétablisse physiquement aussi (1).

Le but du traitement est de soulager le patient des effets psychopathologiques introduits par la secte et, par ce fait, de restaurer la personnalité de l'individu avant son expérience dans la secte (23).

C'est tout un programme !

– Nous avons ici, me répond Len, toute une collection de documents écrits et visuels. Vous avez vu la bibliothèque en haut ? Je peux aussi vous donner la liste des vidéocassettes. Choisissez ce que vous voulez, j'en ferai des copies.

– J'ai vu la bibliothèque et j'ai remarqué le mot que vous aviez affiché :

« Cette bibliothèque contient des documents qui expriment des opinions opposées. Le lecteur est prié de faire ses choix. »

J'ai apprécié cette ouverture d'esprit à sa juste valeur. Vous jouez le jeu honnêtement! On est loin, ici, des histoires d'enlèvement et de «déprogrammation» forcée que certaines personnes se sont fait un plaisir de me raconter.

Len sourit. Encore un membre de l'équipe qui a une attitude de père tranquille.

– Je vous ai préparé une vidéocassette qui va pouvoir vous aider; elle s'adresse spécifiquement aux parents des ex-adeptes.

– Je vous remercie. J'ai l'impression de me retrouver à la sortie de la Maternité, avec un nouveau bébé sur les bras.

– Ne vous faites pas de soucis... Vous n'êtes pas la première... Prenez les choses tranquillement : un pas à la fois. Ça va aller.

Sara redescend tranquillement, suivie de Christopher. Elle a un document sous le bras. De près, je vois qu'elle a les yeux rouges, mais elle a l'air contente de son entrevue. Elle m'interpelle :

– Maman! Tu veux bien venir quelques minutes dans ma chambre?

Qu'a-t-elle à me dire? Elle ferme la porte derrière moi.

– O.K. Maman. Tout va bien. Tu peux t'en aller. J'ai parlé avec Christopher, je suis rassurée. Tu peux me laisser.

– Tu es sûre?

– Oui, j'aime mieux. Il m'a dit qu'il y avait toujours quelqu'un en permanence avec nous dans le Chalet et que je pouvais le déranger jour et nuit sans problème. Tu sais, il laisse tous les chiens coucher dehors. Il y en a cinq! Personne ne peut s'approcher du Chalet sans qu'ils aboient. Je me sens en sécurité ici. «Ils» n'arriveront pas à me trouver... Et toi, Maman? Ça va aller? Tu vas être seule. Tim est très violent : il a cassé la porte de notre appartement, un jour. Je ne veux pas qu'il te fasse du mal. S'il t'appelle et te dit des saletés, raccroche. Fais attention à toi. Tu me promets?

– Tu ne t'inquiètes pas pour moi. Promis? Je vais prendre le rouleau à pâtisserie à côté de mon lit.

Elle rit.

Dimanche matin. C'est Len qui était de garde cette nuit et nous prenons notre petit déjeuner avec lui. Je vois Sara circuler dans la maison comme si elle était chez elle. Elle est, par contre, beaucoup plus réservée avec les humains.

L'endroit est si plaisant, chaleureux et reposant que je resterais volontiers, mais c'est une autre étape que Sara doit accomplir seule.

Le Dr Christopher est venu faire sa tournée pour s'assurer que tout allait bien. Il m'accompagne avec Sara jusqu'à la voiture.

Dehors, Sara est moins à l'aise. Elle jette des coups d'œil anxieux vers la forêt.

– Ça va, ma chérie?

Elle ne répond pas.

Subitement, un chien aboie au loin. Elle sursaute et s'accroche à mon bras. Elle est pâle et a le regard d'un animal traqué. Elle fixe les sous-bois. Je fais de même.

Le Dr Christopher se retourne.

– Personne ne peut venir ici, vous êtes sûr? Ils ne vont pas me retrouver? demande Sara, la voix étranglée.

Christopher la rassure :

– Non. Nous ne donnons jamais le nom de nos clients.

– Je rentre, Maman. Fais un bon voyage.

Un baiser rapide. Elle se dépêche de regagner la sécurité du Chalet. Elle se retourne et me lance :

– Tu n'oublies pas de venir me rechercher dans deux semaines?

Ma chérie, ai-je envie de lui dire, sois sans crainte, je ne suis pas près de t'oublier!

Une partie de cache-cache

Je retrouve la maison dans l'état dans lequel je l'avais laissée. Mon ingénieuse gardienne a fait remplacer la vitre cassée de la fenêtre du sous-sol.

Elle m'a laissé un mot dans l'entrée : le système d'alarme s'est déclenché, l'intrus a fui; la police est arrivée rapidement sur les lieux. Elle a fait changer la vitre du sous-sol pour éviter que la pluie ou des chats ne pénètrent dans la maison en mon absence.

Le jardin a été arrosé et il s'apparente à une jungle fleurie.

J'ai deux semaines pour organiser le futur. Quel futur? Cela dépend de Sara. Sara qui tremble de peur au Chalet à des centaines de kilomètres d'Otterton, va-t-elle revenir vivre à la maison? J'en doute. Du moins pas tout de suite. Il faut que je cherche des solutions à lui proposer. Habiter chez sa sœur? C'est, après la maison ici, le premier endroit auquel Tim va penser. Que faire?

Je rappelle le détective Luc; j'ai besoin de conseils. Par son métier, Luc sera plus à même d'évaluer si Sara est en danger à la maison ou si c'est moi qui ai peur. Il est revenu de vacances, mais «est reparti». Je lui laisse un message.

J'appelle Jo. Le téléphone sonne dans le vide. Sont-ils tous en vacances?

La personne qui m'a demandé de la rappeler à Otterton s'est identifiée comme «assistante sociale». Je rappelle au numéro indiqué et avance prudemment dans la conversation. Est-elle vraiment une assistante sociale ou est-ce une arnaque? Après l'histoire du message à la radio, je sais, de bonne source, que la secte n'est pas gênée aux entournures et que le mensonge ne les étouffe pas. Se faire passer au téléphone pour une assistante sociale afin de connaître l'adresse de Sara est un piège grossier, mais efficace.

C'est moi qui pose les questions. Qui est-elle? Pourquoi cherche-t-elle à me contacter maintenant? Comment a-t-elle connu Sara? La voyait-elle souvent? Était-elle au courant de sa vie? Et jusqu'à quel point?

Elle répond sans hésiter aux questions :

– Je m'appelle Liz et je suis l'assistante sociale chargée du dossier de Tim et de Sara. Je ne veux pas vous alarmer inutilement, mais la pharmacie m'a appelée pour me dire que Sara n'avait pas été chercher son insuline depuis début juin. C'est notre service qui reçoit les factures des médicaments de Sara. Elle ne s'est pas présentée ici non plus; cela fait plus d'un mois que nous ne l'avons pas vue. Cela m'inquiète.

– Pourquoi ne m'avez-vous pas appelée plus tôt? Qui vous a donné mon nom et mon numéro de téléphone?

La voix gênée, elle rétorque :

– Votre nom est inscrit dans les documents que Sara a remplis lors de son inscription au service d'allocations sociales.

Je comprends. Je suis la personne à prévenir en cas de décès.

Je peux la rassurer.

– Sara est avec moi, ou plutôt elle est en vacances chez sa sœur.

Mais il n'est pas question d'indiquer à quelqu'un d'Otterton que je ne connais pas et qui voit régulièrement Tim, où est Sara. C'est le genre d'information qui est inscrite dans les dossiers informatisés et que tout le service peut consulter.

Je continue à poser des questions à double sens. Que sait-elle? Très vite, je réalise que c'est moi qui ne suis pas au courant de la situation réelle de Sara. Cela a été beaucoup, beaucoup plus loin qu'une personne normale ne peut l'imaginer.

– Voulez-vous que je vous envoie le rapport de mes notes? me propose Liz.

– Pouvez-vous le faire? Je veux dire : êtes-vous autorisée à le faire, avec toutes les histoires d'éthique?

– Je prends ça sur moi.

Et, la voix émue, elle ajoute :

– Je suis tellement désolée de ne pas avoir pu faire plus pour Sara. C'est bien qu'elle soit loin de lui. Je suis tellement contente que vous n'ayez jamais abandonné.

– J'ai essayé des milliers de fois de contacter l'assistante sociale de Sara. Je ne suis jamais arrivée à avoir votre nom. On me répondait : «Je n'ai pas cette information» ou «Elle n'est pas inscrite au service» ou «Je ne vois pas le nom que vous me donnez» ou «Elle a vingt-trois ans, vous ne pouvez obtenir cette information» ou «C'est confidentiel; voyons, madame, votre fille a vingt-trois ans!»

Je suis heureuse que son anniversaire arrive bientôt, car entendre la petite phrase «elle a vingt-trois ans» me hérisse.

C'était tellement frustrant!

Tout au long de ma quête à la recherche de Sara, c'est son âge qui a été l'obstacle majeur à mes démarches. Si elle avait eu moins de dix-huit ans, j'aurais pu intervenir.

Mais vingt-trois ans ! Oubliez ça.

Comme si on n'était parent que pendant la minorité de ses enfants.

C'est malheureux à dire, mais, outre sa date de naissance, mon handicap était de vouloir agir dans le cadre de la légalité.

Le détective Luc a, un jour, laissé échapper :

« Vous suivez la loi. Ils ne la suivent pas. Vous êtes perdante. »

Le rapport de Liz est arrivé.

« Ai parlé à l'assistante sociale de l'hôpital… Tim a empêché Sara de prendre son insuline… Cela ressemble à une secte… Sara a affirmé vouloir le quitter, divorcer et prendre soin d'elle-même… Tim a brisé de nouveau ses seringues… Tim a refusé que son épouse ait une évaluation psychologique pendant qu'elle était à l'hôpital… L'assistante sociale craint que Sara ne meure si elle ne peut avoir accès à son insuline et à ses médicaments… Mon superviseur, à qui j'ai parlé du cas, dit que Sara est en très grand danger; il n'a pas pu lui parler, car Tim a refusé que son épouse reste seule avec le superviseur… Quand Tim est venu aujourd'hui chercher leur chèque, Sara n'était pas avec lui… Le superviseur pense que l'épouse est emprisonnée dans la maison… Il s'agit d'un cas classique d'abus où l'épouse est isolée et a subi un lavage de cerveau fait par le mari sous une forme déguisée de religion… Sara est pour ainsi dire muette et ne parle que lorsque son mari lui en donne la permission… Elle est fort probablement maltraitée physiquement et abusée sexuellement et psychologiquement… À toutes les questions que nous posons, c'est Tim qui répond à la place de son épouse… Tim dit être « le Grand Prêtre » et c'est la raison pour laquelle sa femme lui doit obéissance en tout… Cela inclut le satisfaire sexuellement à chaque fois qu'il le désire, sinon elle sera réprimandée par Dieu à travers lui. Elle doit aussi lui obéir et satisfaire tous ses désirs dans tous les domaines, sinon la main de Tim la punira au nom de Dieu… Sara a accepté de rencontrer l'assistante sociale mais ne s'est pas présentée au rendez-vous… »

J'inonde le document de mes larmes… Je pleure de douleur en pensant aux souffrances de ma fille. Je pleure de rage à cause du système : j'ai suivi les règles et c'est le Code dans sa forme actuelle qui m'a laissée tomber.

Le système ne reconnaît pas qu'une personne qui a subi un lavage de cerveau ou qui est manipulée mentalement n'est pas capable de sortir de la situation par elle-même.

Et quand vous songez à ceci :

Dans le monde, le nombre d'adeptes dans les sectes se chiffre en millions, les sectes recrutent plusieurs milliers d'adeptes chaque année, et ceux qui s'en échappent annuellement sont de l'ordre de la centaine (12).

Cela vous fait froid dans le dos.

Le téléphone sonne. La voix n'est pas claire.
– Allô… Allô… Je veux parler à Sara.
– Qui est à l'appareil ?
– Jean.
– Qui ?
– Jean, d'Otterton…
J'ai vite compris.
– Est-ce que Tim est avec vous ?
– Oui, un instant.
Quel lâche ! Il a fait téléphoner quelqu'un à sa place. Quel manipulateur !

Je me rappelle le conseil que le détective Luc m'a donné : «S'il appelle, agissez normalement.»

Ô! ces merveilleux conseils de Luc, ils m'ont été si utiles.

– Tim? Bonjour.

Il veut avoir des nouvelles.

– Sara vous a écrit. J'ai posté la lettre moi-même. Vous ne l'avez pas reçue?

– Non.

– Qu'est-ce qui se passe avec votre courrier à Otterton?

Je pense aux vingt-trois lettres que j'ai envoyées à Sara et qui ont «disparu».

– Je ne sais pas.

– Est-ce que quelqu'un d'autre a la clef de votre boîte aux lettres?

– Non, juste moi.

Bon. Je sais qui a détruit mes lettres.

– Vous ouvrez votre boîte aux lettres de temps en temps?

– J'étais chez un ami. Je n'étais pas chez moi.

Trouillard! Trouillard!

A-t-il eu peur de nous? Il doit se sentir morveux. S'il croit que je vais aller le «punir» pour toutes les atrocités qu'il a faites à ma fille, il se trompe.

J'ai peut-être tort, mais j'en suis incapable moralement. Et encore moins physiquement!

Répondre à la violence par la violence, c'est sans fin.

Je jouerai le jeu correctement jusqu'au bout, même si cette ordure ne le mérite pas.

Ma fille a demandé du temps pour réfléchir. Je ferai tout mon possible pour l'aider, mais je m'arrête là.

S'il n'a pas de nouvelles, ce n'est pas mon problème. Sara a vingt-trois ans, n'est-ce pas? Elle peut lui écrire.

Je veux gagner du temps jusqu'à ce que Sara soit assez forte pour pouvoir prendre elle-même les décisions qui concernent son avenir. Et c'est la raison pour laquelle je parle à cet être. Tant qu'il m'appelle, je sais où il est.

Tim appelle tous les jours. Je lui donne des nouvelles : elle va bien, elle est en camping avec sa sœur... (un endroit où il n'y a pas le téléphone)... ils visitent... ils changent d'endroit... etc.

Mais mon plan a des failles.

Je reçois un appel :

– Tim a été au poste de police d'Otterton hier et s'apprête à faire une déclaration de personne disparue. Un officier lui a demandé de revenir ce matin. Appelez immédiatement le sergent et expliquez-lui la situation.

Oh non ! Pendant que nous nous faisions des fleurettes au téléphone, Tim manigançait ça !

Quel tordu ! Il est doué. Je me remémore la phrase de Luc :

« Il a beaucoup d'expérience; votre fille n'est pas la première. »

Ailleurs, une mère pleure-t-elle son enfant « disparue » ? Je ne le saurai jamais.

Je parle au sergent :

– Ma fille n'a pas disparu. Elle a vingt-trois ans. *Oh! que j'aime ça cette fois-ci!* Elle était en vacances avec sa sœur dans les Maritimes et son mari le sait très bien.

Le « était » n'est pas passé inaperçu.

– Et où est-elle maintenant ?

Aïe !

– Elle se repose à la campagne et je vais la rejoindre cette fin de semaine.

Je lui explique qu'elle vivait avec un « groupe religieux » et que sa famille n'a pas pu la voir pendant des mois. J'ajoute qu'elle a fait trois ou quatre comas diabétiques pendant les huit mois où elle a vécu avec ce groupe religieux, alors qu'elle s'est très bien portée les dix années précédentes.

Le sergent n'est pas un imbécile :

– Est-elle internée en hôpital psychiatrique actuellement ?

– Non. Elle est dans un chalet, à la campagne. Elle est avec d'autres jeunes. Elle est suivie par un psychologue. Elle a de l'argent sur elle. *Ce qui est vrai : le Dr Christopher m'avait demandé de laisser à Sara une assez forte somme.* Elle est libre de ses mouvements.

Il comprend.

– O.K. Je veux lui parler lorsqu'elle reviendra.

– Je le lui dirai, mais elle a vingt-trois ans.

– Je comprends la situation, mais je veux lui poser quelques questions.

– Entendu.

Je rappelle Jo. Il est enfin revenu.

– Viens cet après-midi. Tu me raconteras tout cela de vive voix. Je t'attends.

L'envol

Le jardin de Jo est à son apogée. C'est un kaléidoscope de couleurs et de parfums. Le long de la clôture, des roses trémières forment un écran multicolore. Plus loin, les hampes des delphiniums bleus oscillent sous la brise. De chaque côté de l'allée, les massifs de roses rivalisent de beauté. Devant la maison, les lys parfument l'air de leur fragrance entêtante. Une clématite violine Jackmanii enveloppe la balustrade de la véranda et s'élance à l'assaut du toit.

Jo m'attend, appuyé au chambranle de la porte.

– Elle est libre, Jo ! Elle est libre !

Je vois un large sourire, des yeux qui pétillent de joie, et spontanément il me prend dans ses bras.

– Bien… bien.

Aussi remué que moi, c'est tout ce qu'il peut dire.

– Bonne fille, bonne fille, murmure-t-il à mon oreille.

C'est le genre de phrase que disait l'oncle à ses chiens de chasse, lorsqu'ils lui rapportaient les perdreaux dans la gueule sans les avoir abîmés.

Je suis bien.

Jo recule et dit d'une voix plus grasse qu'à l'accoutumée :

– Allons prendre le thé dans le jardin.

Par-dessus son épaule, je vois sur la prairie qui descend vers le fleuve, à l'ombre d'un pommier, la table blanche et les chaises. C'est une invitation qui me satisfait pleinement… pour l'instant!

Il est aux petits soins :

– Allonge-toi sur la chaise longue, tu seras mieux. Je vais te servir ton thé. J'ai été acheter une tarte. En veux-tu une part?

Et il dispose une petite table à côté de la chaise.

– Maintenant, raconte.

Tant d'événements se bousculent dans ma tête que je ne sais comment commencer. Je lui raconte Cherrytown, Marc… Le Chalet, Christopher… Les variations d'humeur de Sara, ses bons mots… Je lui dis tout mon amour pour ma fille…

– Jo, je l'aime tellement! C'est ma petite fille. Je suis si heureuse qu'elle soit en vie. Tu ne peux pas savoir…

Je le fais rire avec les aspects cocasses de certaines de nos aventures : la tête de la personne qui nous avait trouvé une chambre au *Westin* et qui pensait que nous ne pouvions pas payer. Ma première rencontre avec le Dr Christopher et mon faux pas concernant son âge, habilement rattrapé par sa réponse humoristique. Et Sara, Sara, encore Sara… Combien ses réflexions étaient drôles, parfois! Et des plus vieux souvenirs, comme la femme du *Centre d'Information sur les Sectes* qui, alors que je lui demandais de l'aide, m'avait dit :

«Êtes-vous suicidaire?

J'avais rétorqué :

– Une seule dans la famille suffit!»

Jo rit à gorge déployée, heureux de mon bonheur.

Je lui parle aussi du courage de Sara, de sa maturité et de la lutte intérieure qu'elle devait mener contre ses démons.

– C'est tellement douloureux, Jo, on ne peut pas s'imaginer ! C'est comme un drogué à qui tu supprimes sa drogue. C'est une courageuse petite bonne femme, tu sais.

– Le courage, elle tient ça de sa mère. Tu n'as jamais lâché, et c'est ce qui a fait la différence entre la vie et la mort.

– Jo, tout le monde me lâchait au début. Si je l'abandonnais moi aussi, elle était fichue ! Je ne pouvais pas faire autrement. Je suis sa mère, c'est tout.

– Oui, c'est tout, dit-il gravement.

Mes yeux se remplissent de larmes. Je fouille dans mon sac à la recherche d'un mouchoir.

Jo a tourné pudiquement la tête. Il regarde le fleuve qui scintille de mille étoiles.

Cet endroit est beau, un havre où j'ancrerais volontiers mon bateau. Mais cela ne dépend pas que de moi. Je jette un coup d'œil à Jo, je vois son profil. Il est silencieux.

Je repense au pasteur qui m'a dirigé vers cet homme l'automne dernier. La vie est curieuse parfois, et pleine de surprises.

– Que vas-tu faire après ?

– Je ne sais pas encore. Ça dépend de Sara.

Mes pensées ne la quittent pas. Quelles vont être les suites de son expérience dans la secte ? Les conséquences ? J'essaye de m'y préparer en glanant de l'information sur le sujet.

« Comme d'habitude, dirait un éditeur de mes amis. Tu fais toujours référence à la théorie : c'est de la déformation professionnelle ! »

Il a sans doute raison, mais j'ai toujours été chercher dans les livres la base de mes connaissances et souvent cette expérience livresque m'a été bien utile dans le quotidien.

Alors oui, je lis. J'ai rapporté suffisamment de documents du Chalet pour occuper toutes mes soirées. Cela me donne aussi l'impression de me rapprocher de Sara.

La liste des conséquences est lourde. On parle de dépression, de phobies, de sentiment exagéré de honte, de confusion mentale, d'hallucinations, de dédoublement de la personnalité, de dissociation, de stress post-traumatique. J'ai l'impression d'ouvrir un dictionnaire médical.

Ça me dépasse : je ne suis qu'une mère. Je vais laisser les spécialistes faire leur travail et m'expliquer comment moi je peux l'aider. Mais évidemment je me rends compte de l'ampleur et de la gravité des conséquences que ces quelques mois vont avoir sur la vie de Sara, sur sa qualité de vie, sur son avenir.

Je lis quelques confessions :

Après deux années de bourrage de crâne à entendre des cassettes le jour et à porter des écouteurs la nuit, [un ex-adepte, diplômé d'une école d'administration, a pris un emploi subalterne dans une usine] jusqu'à ce que mes idées se remettent en place. Des semaines après avoir quitté la secte, tout d'un coup je me sentais planer et j'entendais la voix du gourou qui disait : « Tu es lié pour toujours à nous, tu reviendras parmi nous : rien ne pourra nous séparer. » J'oubliais où j'étais, j'oubliais que j'avais quitté la secte; je sentais sa présence et j'entendais sa voix. J'avais tellement peur qu'il m'est arrivé de me gifler pour qu'il disparaisse (20).

Un autre ex-adepte : *Je suis vraiment furieux! Des années de malnutrition ont détruit mon corps, et la peur et la honte ont détruit mes nerfs (17).*

Un autre dit : *C'est comme si un camion vous était passé dessus (12).*

En écoutant les ex-membres des sectes, nous apprenons qu'ils présentent des troubles d'équilibre mental et de réflexion qui perdurent pendant des mois, quelquefois pendant des années après avoir quitté le groupe. Ils disent dans des témoignages angoissés que le fait d'avoir à prendre une décision leur cause des douleurs physiques. Ils décrivent leur peur et leur angoisse lorsque, par moments, ils ne sont pas capables de faire la différence entre l'imaginaire et la réalité (17).

Penser fait mal, fait physiquement mal, dit un ancien membre… *J'ai continuellement des troubles de mémoire,* dit un autre… *Le résultat de tout ça? Dévastateur,* écrit un autre *(17).*

Ô Sara, ma jolie Sara, comment vas-tu? Cela fait déjà dix jours que tu es au Chalet. Je ne vais pas te déranger, mais je vais demander de tes nouvelles à la secrétaire.

– Bonjour. Je suis la maman de Sara, j'aimerais savoir comment elle va.

– Je suis contente que vous appeliez, le Dr Christopher veut vous parler. Un instant s'il vous plaît.

J'ai Christopher au bout de la ligne; il a la voix grave, les nouvelles ne sont pas bonnes.

– Ses progrès sont très lents. Nous nous interrogeons sur les conséquences de ses comas. Elle semble mentalement handicapée. Il va falloir que vous fassiez faire une évaluation… elle a été maltraitée et a subi de nombreux sévices… Je ne peux vous en dire plus.

Oh non! Qu'es-tu devenue, ma fille? Tu étais brillante, intelligente, belle. Tu avais la vie devant toi. Et ce sadique t'a détruite. Sale type! Quel démon!

– Voulez-vous la garder une autre semaine?
– Non; cela ne servirait à rien.
– Qu'est-ce que je dois faire?
– Aimez-la.
Ça, c'est tout acquis. Mais quelle belle réponse!
– Croyez-vous qu'elle veuille retourner dans la secte?
Le Dr Christopher rit :
– Non. Elle est très en colère contre lui. Il est diabolique.
– Je pense que nous allons nous éloigner quelque temps. J'ai parlé à un détective qui m'a beaucoup aidée. Il m'a dit : «Tim est un psychopathe; ce n'est pas prudent de la ramener chez vous.» J'ai des cousins en Australie. Je les ai appelés et ils nous attendent, mais j'attendais la décision de Sara pour leur confirmer notre arrivée.
Et j'ajoute :
– Ne lui dites rien, je veux lui faire la surprise. Merci de tout ce que vous faites pour elle.

J'ai besoin de parler à Jo. Son téléphone sonne dans le vide.

Mon agent de voyages, qui a suivi toutes nos péripéties, est capable de me trouver deux billets pour l'Australie «à un excellent prix». Je fais un bond en entendant le chiffre.
– Si cher?
– C'est loin. C'est un bon prix.
Tant pis! Si ça peut donner un peu de bonheur à Sara… Je vais hypothéquer la maison…
– Bon. Faites la réservation.
– Vous devriez vous arrêter quelques jours à Hawaï; l'arrêt est gratuit. Le voyage pour l'Australie est très long et vous êtes fatiguée. Je peux vous trouver un hôtel abordable à cette saison-ci.

– Au point où j'en suis, allons-y !

Je voudrais bien parler à Jo. Je le rappelle le lendemain et le surlendemain. Toujours pas de réponse. Où est-il ? Il ne doit pas s'être éloigné de son jardin à la belle saison sans bonne raison.

Le téléphone sonne. Enfin ! Je me précipite :
– Jo ?
– Non. C'est le Dr Christopher à l'appareil.
– Ça ne va pas ?
– Non, ça va. Je voulais vous dire que pendant sa séance de thérapie, ce matin, j'ai vendu la mèche pour l'Australie…
– Ça n'a aucune importance.
– Mais si. Dès que Sara a entendu le mot « Australie », elle a sauté de sa chaise et a éclaté en larmes :
« Je suis contente ! Je suis tellement contente ! Je suis tellement excitée que je ne vais pas pouvoir dormir de la nuit. Quand ? Quand ? Comment avez-vous su que je voulais aller en Australie ? Êtes-vous un magicien ?… Non, je sais : c'est maman ! C'est elle qui vous a appelé. »
– Oh !
– C'est une excellente réaction. C'est très satisfaisant. Nous nous verrons samedi. Je voulais vous faire part de cette bonne nouvelle.
– Oui, je vous remercie. Après votre dernier appel, je me suis beaucoup inquiétée.

Sitôt raccroché, j'appelle Jo.
– Enfin, tu décroches ! Je t'ai appelé je ne sais combien de fois. Heureusement qu'il a plu hier, pour ton jardin…
– Je sais, j'ai trouvé tous tes messages. J'ai dû me déplacer : quelqu'un avait besoin d'aide…
Je me demande quelles sont ces occupations dont il ne parle pas. Je n'ose lui demander. Il parle d'une voix lasse.

– Je suis désolé pour Sara. As-tu eu d'autres nouvelles ?

– Mais oui, c'est pour cela que je t'appelle. Figure-toi...

Et je lui fais part des événements.

– Quelle merveilleuse nouvelle ! Sara avait peur de Tim. Lorsqu'elle a réalisé qu'elle allait pouvoir lui échapper, elle est revenue dans le monde des vivants.

– C'est fort possible. Il fallait trouver la clef. C'est comme dans *La Belle au bois dormant*.

– C'est loin, l'Australie. Tu vas t'en aller pour longtemps ?

– Je ne sais pas encore.

– Tu me le fais savoir, n'est-ce pas ?

– Évidemment.

L'explication de Jo est peut-être la bonne. La peur peut-elle arriver à empêcher de guérir ?

Certains adeptes agissent à un niveau inconscient comme si on leur avait donné l'ordre de NE PAS guérir. Ils continuent à avoir peur du pouvoir de leur ancien gourou, de ses accusations et des menaces d'être damné (1).

La plupart des groupes travaillent fort pour éviter les défections : certains ex-adeptes citent des menaces de damnation pour eux-mêmes, leurs ancêtres et leur descendance (20).

L'idée est implantée que tous ceux qui quittent le groupe sont condamnés à vivre une vie de dépravation et de péché, à perdre leur équilibre mental et à mourir... (21).

Ces sectes, quelle histoire ! Le processus est bien organisé non seulement pour attirer des adeptes, mais aussi pour les empêcher de sortir. Ils sont prisonniers d'eux-mêmes.

Jusqu'où sont-elles capables d'aller ?

Les sectes ne supportent pas que les personnes de l'extérieur leur arrachent leurs adeptes (12).

Il existe de nombreux témoignages d'anciens membres qui rapportent que les dirigeants *sont entrés par la force dans les maisons et appartements des membres dissidents pour les confronter à leurs « péchés » et à leur « rébellion » ; ces visites ont généralement lieu de nuit et il arrive qu'elles soient accompagnées de mauvais traitements (22).*

Quand les adeptes quittent la secte, les efforts faits pour les récupérer vont du harcèlement à des incidents où l'usage de la force est employé. Plusieurs ex-membres et leur famille mettent leur numéro de téléphone sur la liste rouge ; certains déménagent sans laisser d'adresse ; d'autres même disparaissent, changent de nom et vont refaire leur vie dans un pays lointain (20).

Quel engrenage !

Dans deux jours, je pars retrouver Sara. La préparation pour le voyage en Australie est presque terminée.

D'en haut, j'aperçois le facteur qui se dirige vers la maison. Sara aurait-elle eu le temps de m'écrire ? Il sonne. Je descends l'escalier en courant et ouvre la porte.

Je reçois la porte en pleine figure et on me repousse : je tombe par terre. Une masse sombre et hurlante passe devant moi et se précipite dans l'escalier qui monte à l'étage des chambres.

C'est Tim.

Je l'entends hurler : «Sara! Sara! Dieu! Dieu!»

La police! Je me relève et me précipite sur le téléphone. Je vois ma main trembler. J'ai peur. J'entends Tim qui passe d'une pièce à l'autre en haut et qui bouge des meubles, claque les portes à la recherche de Sara. Heureusement qu'elle n'est pas là! Il crie, il est enragé.

Il redescend l'escalier, chargeant comme un taureau furieux. Je pose l'appareil sur la table sans raccrocher et me recule.

Il doit peser cent kilos : c'est une armoire à glace. Je suis fichue.

Il parle «tongue», en langues. Il est en transe. Il me regarde, mais c'est comme s'il ne me voyait pas.

Il se dirige vers le canapé du salon et s'assied. Il la ferme.

Je reste immobile, retenant ma respiration. En fait, je suis incapable de bouger.

J'entends les sirènes des voitures de police. Tim se lève brutalement. Je voudrais rentrer dans le mur. Il passe devant moi, sort et s'assied sur les marches de la galerie. Il attend tranquillement. Un fou!

Mais non, pas un fou. J'aurai l'explication de ce comportement des mois après. Il ne voulait pas se faire prendre dans la maison.

«Il a de l'expérience», m'a répété le détective Luc.

Une femme policier est entrée et me pose des questions. Elle a un rapport à faire. J'ai la gorge tellement gonflée que je parle avec difficulté. Pourtant Tim ne m'a pas touchée.

– Le nom de votre fille est bien Sara?

– Oui.

– Vous avez une autre fille?

– Oui. Anne. Pourquoi?
– Elle vit avec vous?
– Non. Elle est dans les Maritimes. Pourquoi vous me demandez ça? Elle n'est pas dans une secte, elle!
– Nous avons trouvé son adresse dans sa poche.

Oh non! Anne et le bébé sont en danger!

Dès que les policiers partent, emmenant Tim, je prends un verre d'eau glacée, et appelle Anne.
– C'est toi, Maman? Qu'est-ce qui se passe?
Je lui explique que j'ai eu de la visite, que la secte recherche Sara et qu'il se peut qu'ils aillent chez elle.
– Je te remercie de me prévenir, mais je n'ai pas peur. Je vais quand même faire attention. Ça va aller, toi?
Si elle n'a pas peur, tant mieux, mais se rend-elle compte combien ils sont dangereux? Je ne peux rien faire de plus pour l'instant.
Ma première pensée est pour Sara : «Mon Dieu, mon Dieu, merci! Heureusement que Sara n'était pas là.» La deuxième est pour moi : «Tim va-t-il revenir? Quand?»

Aujourd'hui, c'est le grand jour : je vais au Chalet.
J'ai pris le premier vol, mais j'ai deux transferts et la route à faire ensuite.
J'arrive en début d'après-midi.
Sara m'attend derrière la porte d'entrée du Chalet. Elle me serre dans ses bras, fort, très fort.
– Tu es en retard, Maman.
– Il y avait un peu plus de circulation que la dernière fois. Il y a longtemps que tu attends?
Elle me regarde sans répondre et va chercher ses affaires.
La *R.C.* parle à sa place :
– Depuis six heures, ce matin! Elle s'inquiétait : elle avait peur que vous ayez eu un accident… que quelque

chose vous ait empêché de venir... que l'avion soit tombé... Ils sont tous comme ça.

Ceux qui quittent le groupe sans l'approbation du gourou sont avertis que le démon va les avoir d'une façon ou d'une autre : ils vont avoir un accident grave, attraper le sida, mourir d'un cancer, ou leur famille va être la proie des démons (9).

Len ajoute :

– Elle était si inquiète. Nous avons tous passé la matinée à la rassurer.

J'ai une idée de ce que ça a dû être. Quelle patience ont ces gens !

Sara revient :

– Je suis prête, Maman.

– J'en ai l'impression, ma chatte.

– Il faut que nous attendions Christopher.

– Bien sûr.

– C'est parce que tu dois le voir avec moi. On a une session spéciale, tous les trois. C'est à deux heures.

Il arrive, détendu, un large sourire aux lèvres. Il me paraît rajeuni !

C'est Sara qui tient le rôle principal, avec de forts encouragements du Dr Christopher. Elle arrive à parler d'elle, de ce qu'elle ressent, de ses difficultés ; elle se dit envahie de remords et de honte...

– Mais pourquoi, ma chatte ? Personne ne t'en veut ! On est bien trop contents que tu sois en vie. Ça arrive à des gens très intelligents ! Le Dr Christopher lui-même a été pris dans une secte. Tous les gens que tu as rencontrés ici ont eu cette expérience. Ils ont l'air idiots ?

– Maman ! me reproche-t-elle en riant.

– Ce qui est fait est fait. C'est du passé, on ne peut pas revenir là-dessus. Il faut regarder le présent, maintenant.

– Oui. Pour l'instant, je veux que tu m'aides, j'ai besoin de toi. Après…

Elle regarde le Dr Christopher. Il hoche la tête pour l'encourager. Elle reprend :

– Après, c'est moi qui dirai… C'est ma vie.

– C'est moi qui déciderai, reprend le Dr Christopher.

Sara acquiesce de la tête mais ne peut se résoudre à prononcer ce mot.

Encore quelques phrases et la réunion tire à sa fin.

– Tu m'attends, Maman? Je veux aller dire adieu à mes amis et puis à ma chambre.

Je profite de ces quelques instants où je suis seule avec le Dr Christopher :

– Comment la trouvez-vous?

– Elle a fait d'énormes progrès dès qu'elle a su qu'elle allait échapper à Tim. C'est le diable en personne, cet homme. Elle a été horriblement abusée et maltraitée.

– Elle n'a pas de tendances suicidaires?

– Non. Elle a choisi la vie, mais elle a besoin de soutien. Quand vous serez arrivées, appelez-moi et je vous indiquerai quelqu'un. Si elle pouvait se joindre à un groupe qui a vécu la même expérience, ce serait bénéfique. Pour le moment, partez et profitez de vos vacances. Elle va aimer l'Australie.

– Je suis contente aussi de partir au loin; ce sera plus compliqué pour Tim de se montrer chez mes cousins. Mais la maison va me manquer…

– Il est dangereux. Vous savez que Tim voulait vous tuer parce que vous aviez parlé à Sara?

– Oui. C'était sa proie.

Sara revient vers nous. Elle remercie le Dr Christopher de manière conventionnelle. Puis, elle hésite… et le serre dans ses bras. Ses yeux sont mouillés. Elle reprend vite contrôle d'elle-même et passe à un sujet léger :

– Est-ce que tu vas m'acheter une nouvelle robe à Sidney ?

– Vous achèterez toutes les robes que vous voulez, lui répond le Dr Christopher.

– Hé ! S'il vous plaît… ma carte de crédit !

Sara change d'idée :

– Non. Ils portaient tous des robes dans mon groupe. Je vais m'acheter un pantalon, un pantalon noir avec des petites fleurs. Je vais aussi m'acheter un haut ROUGE. On n'avait pas le droit de porter des couleurs. Et puis, un chapeau avec des fleurs ! Et puis du maquillage. Maman ! Qu'est-ce que tu attends ? On y va ?

– On ne va pas directement en Australie…

– Quoi ?

Elle est livide.

– Excuse-moi, je ne voulais pas te donner d'émotions. Je voulais te dire qu'on s'arrêtait d'abord cinq jours à Waikiki.

– Wahou !

Elle redevient subitement sérieuse :

– Tu ne l'as dit à personne ?

– Non. Seulement à Anne, à Jo et au Dr Christopher.

– Tu ne dis rien à personne ici. Tu me promets ?

Elle a été tellement trahie qu'elle ne peut plus faire confiance, même aux gens qui l'ont aidée. Nous avons un long chemin à parcourir devant nous…

Nous quittons le Chalet. Dans la voiture, Sara est plongée dans ses pensées.

Elle passe rapidement de l'exaltation au silence. C'est une nouvelle facette de sa personnalité à laquelle je dois m'habituer.

La fin d'après-midi est belle. Nous roulons tranquillement et, cette fois-ci, je ne me trompe pas de route.

– Maman ? Est-ce que tu te rappelles quand tu es venue me chercher à Otterton ?

Je la laisse parler.

– La veille du jour où tu es venue, j'ai prié pendant des heures à genoux. J'ai prié, j'ai prié et j'ai demandé à Dieu de m'envoyer un signe. Je ne voulais pas mourir. Tim avait fait une prophétie. Il a dit que mardi je mourrais. J'étais tellement fatiguée, je vomissais. Cela faisait plusieurs jours que je n'avais plus d'insuline et Tim ne voulait pas me laisser sortir pour aller à la pharmacie. Il m'a dit de me préparer à rencontrer le Seigneur. Maman ! Je ne voulais pas mourir ! J'ai prié. Ô ! si tu savais combien j'ai prié fort en Lui demandant de m'envoyer un signe… Et, tu vois, tu es venue.

– Ma chérie, tout va bien maintenant. Tu as ton insuline. Tu es libre. C'est passé. N'en parle plus.

– Non, Maman. Je veux en parler ! Je vais commencer par me soigner parce que je suis encore très fatiguée, mais après je vais aider les gens à sortir de la secte.

Elle est dans ses souvenirs :

– Maman, il y avait une petite fille qui était si jolie. Elle était toute blonde. Maman, les enfants ! Ô ! Maman, ils étaient si beaux.

Ses lèvres tremblent. Que voit-elle ? Qu'a-t-elle vu ?

Un long silence.

– Tim m'a menti. Mais le pire, c'est qu'il a menti à Dieu, et ça, je ne le lui pardonnerai jamais.

Dans l'avion, Sara s'endort. Je la regarde.

La longue quête est finie : j'ai retrouvé Sara. Elle est sauve.

Demain est un nouveau jour.

Bibliographie

1. Martin, P.R., *Cults and the Millennium, Paradigm*, été 1998, p. 8-9, 20.

2. L'Écclésiaste 3, 1-8 (adaptation), *Life Application Bible*, Pub. Tyndale House Pub. Inc., Wheaton, Illinois and Zondervan Pub. Houses, Grand Rapids, Michigan, 1991.

3. Témoignages d'ex-membres, *Le Soir illustré*, 27 février 1996.

4. Langone, M., *Cults : Questions and Answers*, dans *Cults and Mind Control*, 1988, ICEP, New York.

5. Singer, M., *Cults in our Midst*, Jossey-Bass Pub., San Francisco, 1995.

6. Dauzat, *Dictionnaire étymologique*, Larousse.

7. *Larousse universel.*

8. *Petit Robert.*

9. Ross, J., Langone, M., *Cults : What Parents Should Know*, New York, Lyle Stuart, 1989, 20, dans *Martin P.R. Wellspring Journal*, été 1998, vol. 8, n° 1, Albany, OH.

10. Pile, L., *General Cult Info*, dans *Wellspring Retreat and Resource Center*, Albany, OH, 1998.

11. Lewis, B., The Challenge of the Cults, 1987, dans *General Cult Info*, *Wellspring Retreat and Resource Center*, Albany, OH, 1988.

12. Ritual Abuse, Ritual Crime and Healing. Information and Resources for Survivors, Therapists and others, *RA. Mental Health Net*, 1996.

13. Cults on Campus, *Cult Information Center*, BCM. Cults, London, U.K., 1989.

14. Mills, Jeannie, Ex-membre d'une secte, citée dans les références 1 et 13.

15. Pile, L., Ask a Professional, *Savannah Parent*, vol. 4, n° 10, décembre 1993/janvier 1994.

16. *Coercive Mind Control Tactics. A Short Overview*, *FACTNet Inc.*, June 7, 1998. Boulder, CO.

17. Conway, F., & Siegelman, J., Have Cults Created a New Mental Illness ? Information Disease, *Science Digest*, janvier 1982, p. 86-92.

18. Salvatore, D., The New Victims of Cults. Special Report, *Ladies' Home Journal*, août 1987, p. 46-48 et 146-147.

19. *Warning*, *FACTNet Inc.*, 4 juin 1998, Boulder, CO.

20. Singer, M., Coming out of the Cults, *Psychology Today*, janvier 1979, p. 72-82.

21. *Mind Control from Free Mind*, Answers Ind., Eden Prairie, MN.
22. Pile, L., *The Other Side of Discipleship*, sous presse, Wellspring Retreat & Resource Center, Albany, OH, 1998.
23. West, L.J. and Martin, P.R., *Pseudo Identity and the Treatment of Personnality Change in Victims of Captivity and Cults. Dissociation : Clinical and Theoretical Perspectives*, 1994, Guilford Pub. Inc, New York.
24. Martin, P.R., Dispelling the Myths, *Christian Research Journal*, hiver-printemps 1989, p. 9-14.
25. *Mind Control and Religion*, *FACTNet Inc.*, mars 1998, Boulder, CO.
26. Martin, P.R., *Danger of Cults is Growing*, *FACTNet Inc.*, 18 septembre 1998, Boulder, CO.

transcontinental
IMPRESSION
IMPRIMERIE GAGNÉ

IMPRIMÉ AU CANADA